国家出版基金项目
NATIONAL PUBLICATION FOUNDATION

《三联经典文库》

第二辑

2012 年国家出版基金项目

三联经典文库

106

随军散记

沙汀 著

生活·讀書·新知 三联书店

图书在版编目(CIP)数据

随军散记 / 沙汀著. -- 北京 : 生活·读书·新知三联书店, 2014.1
(三联经典文库第二辑)
ISBN 978-7-108-04454-9

Ⅰ. ①随… Ⅱ. ①沙… Ⅲ. ①报告文学 – 中国 – 现代 Ⅳ. ①I25

中国版本图书馆CIP数据核字(2013)第050833号

106 随军散记

责任编辑 卢 莹
封扉设计 蔡立国
责任印制 徐 方
出版发行 生活·讀書·新知 三联书店
(北京市东城区美术馆东街22号)
邮 编 100010
经 销 新华书店
印 刷 北京市松源印刷有限公司
版 次 2014年1月北京第1版 2014年1月北京第1次印刷
开 本 787毫米×1092毫米 1/32 印张 8
字 数 111千字
定 价 29.00元

《三联经典文库》出版缘起

适逢生活·读书·新知三联书店八十华诞，为弘扬传统，接续文脉，回报读者，服务社会，我们决定策划出版《三联经典文库》。

1932年7月，生活书店在上海创办，此后，读书出版社和新知书店相继成立。本文库第一辑、第二辑所选图书，来自于这三家出版单位及其分支机构，以及1948年生活·读书·新知三联书店成立后的出版物，始于1932年，截至1951年，两辑各一百种。此为第二辑，涉及政治、经济、社会、军事、思想文化诸领域，涵盖专著、文集、散文、小说、诗歌、传记、报道等体裁，既有直面现实、追求真理、讴歌真善美、抨击假恶丑的原创作品，又有引介世界各国先进文化、传播新知、开启民智的迻译之作，真实记录了那一代知识分子的思考与探索、理想与愿景和对中华民族文化传承与创新所做出的努力与贡献。

本文库所辑入各书，多为名家名作，在版本方面，以初版一印本或经著译编者审定、修订、增订过的版本为首选，因此本文库又具有较为珍贵的版本价值和收藏价值。

本文库还将编选续辑，使之成为恢弘文化工程。诚挚希望读者给予批评和指正，帮助我们完善编选工作，再现三联经典作品之风采。殊为遗憾的是，由于年代久远，一些原著译编者及其后人未能取得联系并奉付稿酬，诚盼版权所有者与我们联系。祈愿三联前辈所创造的精神财富能薪火相传，为中华文化的伟大复兴增光添彩。

《三联经典文库》编辑委员会

2013 年 8 月

凡　　例

一、本文库为重排本，由繁体字竖排版改为简体字横排版。

一、以忠实于原作、整旧如旧为编辑原则，对当时使用的专有名词、外文译名，以及民国时期的语言和特色予以保留。

一、原书注释如旧，编者所出的注释，均以“编者注”标明，以示与原书注释的区别。

一、对原书残缺或字迹漫漶之处，以□示代。

一、对繁简文本转换时的“如右”、“见左”一类，对应改为“如上（前）”、“见下（后）”。

一、对原书中各种错讹脱衍之处，直接订正，不再以其他符号标示。

一、对数字、标点符号的用法，在不损害原文语义的情况下，做必要的规范。

一、本文库各书均前插原书书影、原书版权页和文库版“本书出版说明”。

一、本书出版说明的撰写，以客观中立为原则，扼要介绍本书的内容、版本流转、著译编者的情况。

本书出版说明

1938年11月中旬，作者和鲁迅艺术学院一批去前线学习的同学随同贺龙将军所率部队赴晋西北，后又移防冀中平原，历时半年左右。作者在与贺龙共同生活的这一段期间，记录了行军打仗途中贺龙的言谈举止、音容笑貌、思想品德，也记录了贺龙一家人的革命业绩、贺龙青年时期的传奇故事以及他对党的革命事业的必胜信念。书中描绘了贺龙乐观、豪爽、幽默的性格，渊博的知识，以及对周围人的亲切真挚的感情。

作者最初“并没有明确的计划，不过有时觉得，他的某些言谈，行动，足以帮助我们认识他的为人，就随手记录下来”，后来“加以整理，剪裁，并又重写一次而成”，于1940年11月由知识出版社初版，1945年10月再版，1946年3月第三版。此次出版，即以第三版为底本。

沙汀（1904-1992），原名杨朝熙，又名杨子青，四川安县人。1921 年就读于成都省立第一师范学校，1929 年流亡上海后，参与创办辛垦书店。1931 年起从事文学创作，次年参加左联。抗战期间赴延安，曾任鲁迅艺术学院文学系代主任，不久随军赴晋西北和冀中抗日根据地。1939 年冬回川。1949 年后历任四川省文联和中国作协四川分会主席、中国作协副主席、中国社科院文学研究所所长等职。代表作有短篇小说《在其香居茶馆里》，长篇小说《淘金记》、《还乡记》、《困兽记》等。有《沙汀文集》行世。

生活·读书·新知三联书店

2013 年 8 月

知识出版社 1946 年 3 月第三版书影

隨軍散記

每册國幣
（外埠酌加郵運費）

著者　沙　汀

印行者　知識出版社
上海福州路中

經售者　全國各大書店

中華民國廿九年十一月初版
中華民國三十四年十月再版
中華民國三十五年三月三版

（P）1—3000

原书版权页

目次

我所见之一个民族战士的素描

——他在前线的生活，他的经历和他的故事

前　记

一九三八年十一月中旬，因为鲁迅艺术学院有一批同学要上前线学习，我便也借着这机会，随同贺龙将军到了晋西北的岚县，一月以后，又跟着他移防冀中平原，直到一九三九年四月底才分手。

从由延安首途的日子计算起，同他一道生活的时间约有六个月左右。而这本书里面所写的，也就是将在那一段时间当中，我可以保留下来的关于他的若干方面的材料，加以整理，剪裁，并又重新复写一次而成的东西。

但是虽然如此，在当初我是并没有明确的计划的，不过有时以为，他的某些言谈，行动，足以帮助我们认识他的为人，就随手记录下来。事前更未告诉过他，所以有些他的意见，可以算是完全的私人谈话，没有料到会发表的。

有了上面的原因，加之由于不断的行军作战，记录的时间每每不是在敌我的大炮声中，便是在夜行军之后，或者是长谈后的深夜，因此写的人虽欲力求真实，万一的错误恐怕是难免的。而这种错误不用说也该由我负责。

末了，我要在这里感谢同贺龙将军共同生活了十年，工作了十年的K先生，因为在平日的闲谈中，他都不自觉地提供了好多很可宝贵的意见，使我在理解他的伙伴时能够有所凭借因而有了写出这本书来的勇气。

一九四〇年三月在重庆

一

一九三八年十一月十九日，一个晴朗的融雪日子，我们随着贺龙将军从延安出发到华北前线去。因为机器出了毛病，我们乘的一辆车开得最迟，当下午三点钟到达青化边时，他已经歇下来好久了。

青化边离延安只有七十里，一个高据在山道上的小小村落。他正在路当中站着和一个青年农人攀谈。那是个矮小而瘦削的汉子，一面编织着那种恰和北方人的粗豪相称的羊毛板带，一面回答着他的问话。这些询问多半是关于编织毛织物的知识的，他终于接过手自己尝试去了。他的周围绕着一群随从的干部，小孩子和头缠毛巾的朴实的居民。

我想，不同人类接触在他是不可能的，好在他的精力也容许他这样做。当我弄好住处，他又和鲁艺的同学们闲谈着了。他披着一种短短的灰布羊皮大氅站在山道的边沿上，而在他的背后则是一列一望无际的高原地带的峰峦。在落照中看起来这是很迷人的；但吸引着青年人的心的却是他那关于前线生活的叙述。从他的叙述看来战争并不可怕，因为即在离敌人十里路远近的地区战士们也一样生活得很好，上着文化课玩着种种的球类。

于是有人，大约是莫耶，惊问道：

“那敌人的飞机来了呢？”

“来它的呀。”

“扔起炸弹来呢？”另一个女同学紧接着问。

“它扔炸弹吗，”他微笑着，照旧用他那种满不在乎的调子回答了，“它扔炸弹吗你往防空洞里躲呀。这是消极的，积极的办法是拿起枪打。”

他很巧妙地做了一个举枪瞄准的姿式。

“你们不要担心，”接着，他又充满关心地说了，“将来到火线上去我可以派队伍保护你们。只要一班人就够了。你们不要看，我们班把人经常同敌人的大队伍碰呢。像那类山嘴子上呀，你好生隐蔽起，一来就扔他几个手榴弹再讲！”

他的叙述生动而恳切；还一面比着手势，一面瞬着他那富于表情的眼睛，于是我们这些对战争多少抱点恐怖的外行，不但信赖，而且衷心地笑了。然而我们还有别种别样的顾虑，虽然其中许多是从他那种有问必答，不嫌麻烦的解释来的。他的智识的广博也是同学们喜欢向他发问的原因之一。不管你是怎样的疑难，好像只要经他点醒，人便无须把它搁在心坎上了。

在许多询问中有人提到晋西北的莜麦。这点关心可以说是我们大家所共有的，因为出发之前就有人警告过我们，要我们当心我们的胃口。并且还为我们描绘了一幕悲喜剧：一个初到岢岚工作的同志，因为放肆了一点，多吃了一点，当天深夜便被那种山地居民当成主要食品的异味夺去了生命。

然而当那位细心的同志快要结束他的发问时，贺龙将军却不以为然地大笑了道：

“这有什么要紧！你只要懂得吃莜麦的规矩就成了呀：醋，辣椒，热炕。并且莜麦并不难吃！你可以向老百姓买米，买面，要买他的莜麦可不成。同志！你们小看它吧？”

他的脸上略略显出孩子气的骄傲，摸出烟斗，抽起烟来了。

然而我们的询问是并不因为他的吸烟就停止的，他也不以为我们的问题琐碎而显得厌倦。他耐心的告诉了我们一些沿途的情形，风习和掌故，但最重要的是到了米脂，中国古代的美人貂蝉降生地以后，我们每个便有一匹马骑了。他有着几十匹马在那里等候我们。谈到这种他生平十分喜爱的动物，他又不免着实夸奖了它们一番，并且用一种顽皮态度，嘲笑了一通延安市面上一部份常见的马匹。

“让我形容起你们看吧，”他颇感兴会的描摹起来了，“头这样一搭搭起，腿子是这样的，屁股溜尖，你要不打它两下呀，它就连动都不晓得动。给你们讲，要我是一个文学家么，单凭这一点我就可以写它一两千字！”

他的精彩的刻划惹得我们大笑了。其间有人担心冬天骑马太冷，他截断他道：

“那有什么！棉裤一穿，棉袜子一穿，外套这样子一搂，包管你一点也不冷了。”

我们一直谈到天黑才分手，但半点钟后，我同其芳又同他围坐在一张圆桌上了。这圆桌是摆在土地上的，几块木板算是凳子，同座的还有我们的一位老乡，军事委员会的联络参谋陈宏模先生。因为恰巧我们三个都是四川人，贺龙将军早年又在四川住过很久，所以我们一面吃着面条烧饼，一面自然而然地谈起我们的堪察加来。我们告诉了他一些抗战后的四川情形，以及一部份混蛋用飞机从燃烧着抗战的上海接妓女来侑酒之类的琐事。

他静静地倾听着，骂了一句粗话，深深地叹息了。

“你们说，这些人要到什么时候才进步呢？”

他发出苦笑追问着，随又沉思似的回答着自己：

“我看要让日本人通几大炮才成。”

于是我们的会食变成了不大快活的会食，至少是没有原前的活跃和愉快了。我们彼此都感觉有点沉闷。忽然房主人高大的身影出现在窑洞门口，而贺龙将军的眉宇间又复闪烁着微笑了。那是一个很老的太婆，行动很矫健。

用筷子指点出盛面的瓦甏，他亲切地招呼她道：

“快来盛起吃吧！还多得很。”

“吃过了，同志！”

“至少要吃一碗才对。”

“早吃过了。”

“那么吃两个饼子好吧？”

他拿起两个饼子让特务员传递过去。

二

鲁艺的三个女生而外，和他同行的还有两个妇女同志，全是四川人，一个他叫她做耗子，矮矮的，戴着一顶肉桂色鸟打帽。因为丈夫住在杨家结台，中途便下车了。另一个却要一直同我们去岚县工作。贺龙将军戏呼她做干女儿，年龄有二十岁左右。

她是四川巴州人，十五六岁时便随着四方面军经历过雪山和草地了。她新近才从延安的卫生学校卒业。小个子，眼睛大胆得很，恰合她那矫捷的举止相称。她回岚县的另一个目的是同师部的卫生处长结婚。一个漂亮年青的长征干部。米脂出发的时候我们走在最前面，没有见着她的干父。但当我们正在一条傍河的山道上前进的时候，忽然一阵马蹄的繁响从背后掩过来了。

最先奔过我们的是贺龙将军的大青马。他急驰着它，一面转过脸来嚷道：

“赶紧跟上来保护老子呀！——有一把小刀子就成了！”

他把帽子戴得略高一点，衣裾飘扬着，而他骑在马上的宽大结实的身躯就像定在泥土上的岩石一样。他的脸色比平日更红润，脸上的轮廓也比平日更显现了。在这种情况下我似乎更加认识了他在性格上的阔大不羁。他嚷叫着，带着一种感情溢洋的坦坦白白的嘻笑。他的身影逐渐在北方的尘雾中隐没了。……

可是我们的女英雄并没有紧跟上去。我们都是骑老实马的，加之，这一天要赶一百五十里路，所以当我到达吕家坪的时候，天已经黑尽了。一个守望的老乡引我们到门口燃着一支洋烛的院子里去。那里檐边摆着一张破旧的方桌，贺龙将军立刻招呼我们过去，让我们大吃他的陕北红枣和得自敌人的咖啡。他的态度是显得那么悠闲。

其时他正在和一批先到的同志谈着他的另一匹大青马，当我们休息定了，他又继续道：

“不但跑得好，”他向我们投着严肃的视线，“它还很有德义呢！比如你前面有人这样躺起，它就停下不走了。翻大雪山的时候靠它救了多少命啊！至少有五六十条。每一次总是好几个人，尾巴上颈项上都拖得有，我自己还要一手提一个，就这样往返了好几回。要不然死的人会更多些。你们想，山又高又大，又冷，空气很稀薄，身体坏一点的，还没喘过气就倒下去死了。”

片刻不大自然的沉默之后有谁问起他这匹忠实的牲口的踪迹。

“后来给猴子偷走了。”

他率然地回答着，而一发觉大家惊奇的眼光，他又立刻加以解释：

“这在西康是常有的事呢。天天看见蛮子骑马，军队骑马，它也懂得骑马了呀。”

兵站部丰富的餐食端出来了。用饭过后，虽然饱食和长途的疲劳使我们渴想睡眠，渴想休息，但整好被褥，我们又陆续走进他的卧室里去了。那里有五六位同志在着，在喝着茶。巴州同志的位置和他最近，她捧着茶杯全身靠在一张壁柜上面。而他自己则占据着方桌的一面，手拐撑在桌面上，整洁的手指间夹着一支叶子烟卷。

“老实讲，”他正在望那位女同志谈着话，带着父亲般的挂虑，“你们这种办法我不赞成。假使每一个干部都要结婚，都要养孩子，单是生活就麻烦透了，还谈得上什么工作？”

许是忽然警觉出在生人面前批评到个人的私事是不合适的，他停住不讲了。他那明澈的眼睛里略略浮上一层忧郁。但吸了几口烟，向鲁艺的几个男女同学投过亲切的一瞥之后，便又就一般的恋爱问题发起议论来了。

他从容地讲说着，仿佛一个和善的宣教者一样，虽然他所用的是活的经验和活的语言而不是死的教条。他极力反对一杯水主义，说那样对工作和个人都是极有害的。他对于自己同他那位远在苏联学习的夫人的相爱认为极正常，并且坚决主张政治目标相同应该是男女结合的大前提，其次是互相自爱；“不要撤烂污！”他十分肯定地说。

他的话语看来已经完了，但又忽然嘲弄似的这样加上一句：

“自然啊，”他静静地微笑着，“背后做一两回错事我们也可以装着不知道。”

三

留宿克虎塞的一夜，贺龙将军给了我们最大的愉快。

我们上午十点钟渡过黄河，继续前进原是他预先决定了的，但我们却不能不在那为八路军所扼守的古老河流的岸边停留下来。使他改变计划的是杨爱源将军，他正在那里检阅他的山西部队。

在白昼的大半天当中，贺龙将军仅仅让我们鉴赏了他从敌人手里得来的日本马匹，一个特务员，一个跛腿马兵和一个小鬼的大胆的驰骋，其余的时间便全花费在他和友军将领的会谈上面。他回兵站时天已经黑了。我们都陆续走进他的房间里去。一有机会，我们总高兴设法倾听他那有声有色的谈吐，这在短短的行军中已经成了大家的习惯了。

他是很会刻划人物的。当在延安的时候，一次他的几个朋友偶尔谈到一个新进的工作同志，觉得头痛。但其中有人并未见过这位似乎有点假装正经的智识份子，因而略显吃惊地问道：

“这是怎么一个人，我为什么没有见过呢？”

“怎么一个人吗，”长久沉默着的贺龙将军忽然开口了，“听我告诉你吧。就这样：瘦瘦的，头发很长，随时夹窝里挟着一本书；今天这本，明天那本，也没有看他翻过。……”

但这天夜里他给我们展览的却是中国社会上的另一种产品。浑名周铁鞭，湖南人，年青时候随着一个同乡的京官去北平当跟丁，不久却又轮番干起茶博士和算命先生的营生来。民国反正他糊糊涂涂地到了陕西，而且又糊糊涂涂地在那时的混乱局面下做了军门。但终竟露出破绽，于是包袱一卷，逃回老家去了。虽然故乡待他并不算坏，它前后拿司令和副官的位置欢迎了他，他却依旧恋恋不忘他那三天短促的军门生活。那时常挂在他的嘴上和梦想里的就是这件事。

医卜星相这些精神法宝他都懂。他时常骑了马去乡间“捉龙”，而在司令时代，他自信是捉住了。于是他吩咐他的爱妾立刻死掉好葬下去，这因为他爱她，恰恰又只有她养着一个能够承受一份龙脉的好处的男孩。然而她才不受抬举，也不往子孙的幸福上着想，她哭闹着哀求着，最后把他的部属怂恿出来威胁了。他们于是向他宣言，他要是再这样发疯下去，他们就要离开他，或者让他自己滚蛋。

总之这是值得考虑的，而那最为适合的办法便是让她活着而去那龙脉所在地的庙子里出家。……

“你们笑！”忽然自己先停止了笑，贺龙将军又望我们继续说下去了，“他硬把她送去当了尼姑才完事的呢。这个人就有这样怪，他的样子也就特别得很。人很高，又黑又瘦，肩头这样宽，眼睛鼓鼓的，一个头小得像汤圆一样。他常常向我们夸口说，我这根铁鞭呀，不但能够驱瘟避邪，而且能够过河！”

我们忍不住大笑了，但他自己却不笑，而当我们刚刚喘过气来的时候，他又诱惑似的说了：

“要是高兴听，我一生遇过的怪人多得很呢。”

但他并不立刻接受邀请，主张我先讲一个。我讲了一个老名士的故事。酒精和女人是得不到这位名士的重视的，他一生喜好的是大烟，少有离开床铺的日子。一次，他的学生之一的一位师长的老太做大生，半月前他就决心亲自出马参加。但他每天都照例躺在床上打鼾，而一到傍晚醒来总又责骂一通仆人，说他们早上就该叫醒他动身的；虽则他们只差嚷破他们的喉咙。寿期一天的情形也一样，于是仆人就用被盖包扎好他抬往几十里外的喜家去了。

当他们重新把他安置在床上的时候，他才呵欠着张开眼来，而且对着面前的学生略感吃惊了，道：

“唉，我才说过两天到府上给老太太拜寿呢。”

“这是你们四川内江的赵班若呀！”我的叙述一完，贺龙将军立刻微笑着插嘴了，“这个人我又清楚哟。是汤子模的老师，我两个还见过面。学问很好，生活一蹋糊涂。茶壶夜壶呀，什么东西都往床上搁。他的趣事多得很。有一回把夜壶凑在嘴上骨碌碌喝了几口还不晓得，第二天望着用人说，你们泡茶要少放点茶叶呀，简直夹得不能进口！”

他学着老名士的腔调竟连自己也忍不住大笑了。

“这个不算，”停停他又继续道，“我再给你们讲个人才更有意思。老沙恐怕都知道吧，就是傅英呀。前清的翰林，一个老官僚，满脑子的封建思想。也算得是我们湖南的怪物之一呢。”

贺龙将军和这个怪物接触的时候，老头子已经七十上下了，但他的雄心并不因为他的年龄衰歇下来，相反的他还企图在民国初年那种混乱局面下成立一支军队。他同贺龙将军的结识就是为了这件事的。他们初次见面的情形他描摹得很精细，不用说这是想要给站在他面前的多数青年增加一点识见的缘故。

他模仿一个老官僚接待客人的动作，一面拖长声音，一字一字的说道：

“云卿兄，请坐……”

有谁笑得弯着腰呛咳了，但他自己却显出那种道地的幽默家的正经神气，指明道：

“笑？这是他专门在礼部里多年学来的呢。”

但接着他又说明，当时便是他也费了好大的力量才忍住笑的。他准备倾听老头儿有趣的谈吐，其时翰林的助手，一个放荡的年青军官，仿佛故意要同他那古典派头作对似的，他正在同一客厅的角落里歪坐着，腿子架在茶几上面，拉着胡琴。所以还没开头，主人就又首先苦着脸关照他的僚属道：

“你等一下拉好么？我要说正经话呀。”

“我拉我的你讲你的吗！”

一种闷声闷气的声音。……

这一切自然是全可笑的，然而说他所选择的语言及那讽刺的口气，人们却不知不觉会嗅到一种官僚社会的腐烂气息。在讲述傅英一些生活上的细节时也是这样。而在最后，他更为我们谈到老翰林第一次检阅部队的神情。当爬上检阅台的时候，因为兵士们的一齐应声立正，他大大地吃惊了，停歇了好一会，他才松了口气，开始训话道：

“呀呀……我侍候了二十多年皇帝，从没有像今天……”

“以下的话更糊涂！”在一阵暴起的哄笑中，贺龙将军带着卑视一切的微笑结束了，“我两个还没搅上三个月就分家了。你们看这个人有趣呢。我见了趣人总要给他画个像，来他几笔。”

四

是到岚县的头一天下午，当我们三四个人正在杨坡村村口的几块木料上坐下，贺龙将军终于骑着马赶到了。

早上从临县动身的时候他没有和我们一道走，那里的公团挽留下他们要给全城的群众讲话，我们已经到了三四个钟头了。这时虽然已经挨近黄昏，天色却依旧十分明朗，远处的连绵的山岭涂着一层微亮的紫色。赤裸裸的大地上挺立着擎天的杨树。他在平整的大道上驰骋着，一进村街便立刻从马上跳下来了。

他把佩带交给他的特务员，于是由于燥烈的寒冻，他跺脚搓手地嚷道：

“哎呀……这不冷死人吗！”

仿佛一个顽皮的孩子一样，他又跳跳蹦蹦地向着一个头戴毡帽的老百姓面前跑去，一面胡乱地挥舞着手臂。

“老乡！有什么吃的东西卖么？”

他笑问着，但已经碰进那半开着的小店里去了。

“啊……哟！还卖得有挂面呀！”

一片宏亮的欢呼从那破旧的店里传了出来。而随即，他又仿佛阳光一样的出现在村街上面。他笑着，嚷着，吩咐特务员赶紧煮面吃。最后他要我们一同随他到宿营处去。这时他的态度已经比较平静，但当经过那家墙角有着一株老槐树的大门边时，他又吃惊似的停立下来了。

他欢呼了一声，骂出一句粗话，嚷叫着：

“喝，马夫！那里揽来的皮大衣呀？”

马夫是一个长长的瘦削的汉子。他站在院子当中，穿着新式的黑面羊皮大氅。地上错乱地堆着五六个驼子。贺龙将军巧妙地迈过那些障碍物，一直奔了过去。在高高兴兴地拍了一下对方的肩头之后，他便翻看着他的新羊皮大氅，审察着它的质料。而在最后，他稍稍离开一步，端详着，认真地批评了：

“不错，准可穿七八年！”

他又汇合起我们重新前进了。我们正在走上一个小小的土坡，他回转头望了我们一眼，一面平静，然而带着感情地告诉我们道：

“这个马夫跟我最久，一二十年了。人很老实。他的全家人都是为革命牺牲掉的，现在就只剩他和一个兄弟了。”

我们的宿营地是一座颇大的地主的宅第，相当富丽，有着色彩的檐牙窑顶上的女墙擎持得很高。略微休息了一下，他便独自跑上窑顶眺望去了。下来没有在房间里停上五分钟，他又忽然出现在鲁艺的同学们里面。那时大家正聚集在院子里闲谈，有的坐在阶沿上，有的靠在石碾上面。他提议要大家唱歌，但在未唱之前，他们却逼着要他先唱一个。他微低着头，害臊似的微笑，十分勉强地哼了两句山歌：

“小妹好比山上树，”

“情哥好比树上藤……”

然而正当同学们进行齐唱的时候，他的注意好像已经并不停留在歌唱上面了。其实他的要大家唱歌就并不很热心。他仿佛有着什么心事似的。于是我向他提起他的大姐贺英同志，他第一次向我提到这个伟大女性的时候是在延安。她是他初次参加民族解放运动的唯一同谋者，而在以后，每次失败后她都无限制的帮助他重新振作起来，她是在一九二四年的湘西游击战争当中牺牲掉的。

“她并不懂得理论，”握着烟斗，他背靠在延安一所平房的柱子上给我们说，“但她的见解是很强的。胆大，天分比我们好多了。她说队伍要‘武’，就是要打仗，‘不武’就要垮台！”他得意地微笑了。

但使我们发问的是因为他在抗大女生队成立时的一场讲演。在这场讲演中他曾经谈到她，后来听讲者之一的颀把她自己的感奋，和当时的情形全告诉我了；所以我就从这点说起，打算引诱起他谈话的兴致。我说：

“听说毛主席那天也很兴奋呢，老是在下面叫好呀，妙呀。”

“老毛那天吃醉了。”他含糊地回答说，但接着却又认真地说了下去：“她确实很能干，不管你多少队伍她都能够统制。知道驾驭人，知道抓住人才，有许多野蛮的土匪都怕她；那些人都像大山里赶下来的猴子样，调皮得很。我第一次成立红军的队伍，就是她分给我的。”

他顺下眼睛，陷入深思了，一面静静地吸着烟斗。

“你就拿给养问题这些小事情来说吧，”一分钟后他才又不大自然地继续道，“那里像这样，半天还弄不到吃的！总是自己骑匹骡子赶在前面，队伍一到什么饭呀，水呀通弄齐了。”

一个采办给养的同志恰从左面的阶沿上走过，于是好像要抓住一个停止谈话的机会似的，他略含怒恼地问道：

“你们在搅些什么呀，还没弄好吗？”

“他们正在做呢。”

“今天真把人饿够了。”

他望了我强笑着说，于是漠然地离开石礮，漠然地走回自己的房间里去。

五

到达岚县三四天后他第一次来看我和其芳的新居。是夜里，特务员也没带，一个人静悄悄地就进来了。他对我们谈了一番晋西北的战况，当时宁武正从友军手里失掉不久，敌人新的进攻已经开始。占据着方桌的一面，他平静地讲说着，似乎每一个字每一句话都是经过慎重的考虑的，而且同时还在留神着对方的反应。这已经不是日常生活上的贺龙将军的风度了。

他说他三日前去拜会过一位官长，而我们的谈话就是从这一次的拜访开场的。

“看样子这几天他相当苦闷，”他依旧含着烟斗，“一见了就拉着手望我说：你回来得正好，走太久了。”

于是他谈起他们商讨对付敌人进攻的情形。他是不赞成打硬仗的，因为敌人已经利用各个据点构成火槽火网，在那里等待着我们的牺牲和死亡了。但他并未直接提出自己的意见，却从侧面，很详细地叙述了不同的见解。如他所说，这是为了使得对方容易采纳，和使对方不致感到不快的缘故。他用食指在桌面上画出山脉和河流，以及晋西北各县的部位。他特别看重宁武，以为那是目前战争的关键；可惜是友军的两次反攻全失败了。

为要引起我们的特别注意，他又重新着力地用手指点着宁武的部位，说明道：

“你们看，这样就成了一个扇面的形式，”他屈着手臂向怀内一拥，“敌人随便从那一处都可以进攻我们；从这里，从这里，都成。这是第三次了，前两次也是我们帮着拿回来的，一落到他们手里就出事了。”

他凝想了一分钟。而在最后，仿佛要赶掉一种不快的想头似的，他摇了摇头，望着我们微笑了。

“走的时候他说要来找我，”他似乎吃力地说，“要是再吃一个亏他是会来的；人都是这样，一有烂事总是来找你，事情一过便认不得你了。有的还觉得你讨厌得很呢。”

响了一下嘴唇，他轻微地叹息了；半眯着眼睛无目的地望入空间。

“有什么办法呢，”他终于发出苦笑安慰起自己来，“无论什么人，总该想法子把他引上路呀。就这样：前头放一个乌龟，叫他慢慢跟着走！”

于是他坚定地微笑着，仿佛忽然从长久的焦灼中得到了一个毫无疑义的决心似的，他玩弄起火柴匣子来，反复地审视着它，随又拿来搁在桌子上面，找着适当的地位，恰像他打算要把它改造得更为合适一些，美观一些一般。但他终于毫不顾惜地抛开它，凝神地望着我们，用一种略带感情的调子重新开头了。

“你们说这样的事情在别人会怎样呢？”他苦恼地反问着我们，“在阳曲，我们一个新兵连队遭到袭击，打崩了，连长打死了，大家举出一个号目来收容，收容了七八十个人。但那里县长估着把我们改编了，号目也打死了，还把尸首抛在河里！”

他被迫似的忽然切断话头，闭着嘴唇，屏息着，而他眼角上饱经忧患的皱纹也就更增多了。

“你们说该怎么做？”他的声调出人意外地柔和起来，“我们仅仅拍了一个电报，去查问我们自己的人是不是有不对的地方，号目是不是同他们里面的人有私仇：就这样！至于队伍呢，只要士兵愿意，就由他们改编去好了。”

他的脸上现出极端忍受的表情。想了一会，他才又以一种心安理得的口气批评自己道：

“要不冷静一点这不会立刻搅糟吗？——娘的！……”

他凝视着我们，叹息着，慢慢地站起来了。但他并未立刻离开我们，他还问了我们一些生活上的琐事：缺什么不缺，起居方便不方便。他又说到我们用的小鬼，说是若果太笨了，就向副官处另换一个，并且主张应该同我们一个院子住。遇到空袭去防空壕的路线他也告诉我们。他的周密的关心使人感到亲属一般的温暖。最后，因为发现炕上还睡着一个老百姓，他不免略略吃惊了。

“这怎么成？你们是要写文章的，明天请他移动一下吧。”

我们向他说明这是一个七十多岁的木匠，对我们毫无妨碍，并且还是一个聋子。而在听到聋子这两个字的时候，他这晚上第一次爽朗地微笑了。

“那就好，”他俏皮地说，“再什么秘密的话你们也可以让他听了。”

我们送他到大门口，街上暗无人迹。

六

一天早上，他叫人约我们去司令部吃早饭。同桌的只有甘泗淇主任的夫人李真同志，一个农村妇女出身的干部，现在教导团政治部负责任，朴实精练，没有丝毫城市妇女的气息。在吃饭当中，贺龙将军仿佛家人一样地同她谈着一些日常生活的琐事；但他忽然略带狡猾地笑了。

他静静地注视了她一会，然后轻声地问道：

“怎么样？听说老甘在女学校上课你很不放心呀。还暗地里派人侦查。”

“瞎说！我根本就没工夫管他这一套。”

“你骗人。”

他怀疑地摇摇头，随又正经地这样问了：

“我的老婆对我怎样？”

“她说你背过她会胡闹的。”

“那是她的误会。”

他断然地说，而在望住饭碗凝想了一会之后，他又带着一种感觉负咎着微笑，轻声地加上一句：

“在当军阀的时期我确实有点靠不住，加入共产党以后我就变规矩了。”

从此他便一直保守着一种宁静沉默的态度，没有再说什么。

饭后他要我们同他一道去城外看炮兵试炮，是最近在五台附近的洪天河缴获敌人的。在这一次大的胜利当中，除却三门山炮和迫击炮而外，还缴获到好几百马匹和枪支，结束了法西斯掌握下七八百名日本兄弟的无辜的生命。然而出城不久，我们才得到改期的通知，只好临时去参观工兵的造桥了。

同行的有甘泗淇先生和他的参谋长周士梯先生。甘同我一直闲谈着晋西北初期工作的困难。贺龙将军则在沟道般的大道上游玩般地走着，一时又很敏捷地跳在高坎上的小路上走，因为碰到牲口便总带来一阵烟雾似的尘土。我们照样地跟着他做，当我们正在一处土塍上进行的时候，领头的他忽然把脚步放缓了。前面来了大约有一排人的骑马的队伍。

他同甘互相推测起来，认定那是来赶干部会议的代表，并且从装束和神情指点出谁是谁来。而他们全猜中了。过了约一刻钟，在和来客进行了简略但却像兄弟一般亲切的寒喧之后，他一迳走向一个稍稍落后的骑者面前去。

“这也是个独只眼呀，”他凝视着那匹小种的红马，“我先前有一匹跑得很好。”

“是病害瞎了的。”骑者回答说。

“生下来是这样就好了；你骑起跑几步看。”

骑者照着他的请托驰骋起来，但还没跑上五十码远近，他便失望地摇摇头，不加注意了。

我们从新望着造桥的地方走去。桥是造在岚河上的，一共有五个桥孔，是一座两丈多长的板桥，河面几乎全冰着了。我们各自照着自己不同的目的鉴赏着，一会又下到河面上去。他并不参加周和工兵负责同志的详细问答，只一意上上下下地视查；直到周的谈话停止好一会了，他才望着我们，以一种夸耀口气笑道：

“你不要看，同志！我们这队工兵在长征当中起过满大的作用呢。”

他随又把眼光集中，向那位大脚大手，又粗又矮的连长身上去。

“你说，搭渭河那样宽的桥要多少时候？”

“我没有到过渭河。”

皱皱眉头，他耐心地寻思了；一会，遂又柔声地问道：

“你是什么地方的人？”

“湖南大庸。”

“对了，”他高兴了，“就说大庸张家沟对面那样宽的桥，你说要多少时候？”

他得到满意的答复了。

在归途中，我们碰见两个牧者，一个半大的孩子和一个只剩齿龈的老人，嘴唇下巴全是光秃秃的，没有一根胡须。各人手里拿着一根长棍，一端上着一只小铁铲儿。他问明了那叫扬铲，是扬起尘土赶羊的，于是自己有趣地模仿着做了几下；惹得老头儿张开嘴大笑了。

在交还扬铲的时候，他问那孩子道：

“遇见狼你们怎样做呢？”

“不敢打……”

这时我从那横着短髭的唇边发觉出一种卑视和同情混和着的微笑，但也立刻就过去了，并且随即详细地询问到他们的家庭状况，工资，待遇等等。离开那一对全不相称的伙计不久，他又叫住了从对面撞来的两个青年战士问话。一高一矮，高的提着一大块猪肉。两个人比起来，高的一个是显得太魁梧了。

也许就是这点对照引起了贺龙将军的兴致，在问明了他们的番号姓名以后，他默默地把他们拖在一起，背靠背地比起高矮来；而末了，他推拍了一下那高个子人的肩头，激赏道：

“不错！这样大的块头，只要一杆步枪，两个手榴弹就行了！”

七

他的屋子和他的身份比起来是再简单不过的，似乎还没有我们住的漂亮。陈设也简单，只有一个火炉，一张方桌，几条独凳，书籍和茶具之类常人必备的用具。若是一定找出点不同处来，那就是他那僧舍一般的整洁，以及贴满墙壁的二十万分之一的华北地图了。

我们站在一幅山西地图面前找着我们的行程。我们是应了他的约来闲谈的。我正在寻觅着兔坂一类怪地名的时候，他进来了。他客气地问着我们的日常生活状况，一面让我们到方桌边去。吸燃烟斗，他面对了窗子坐着，我们的闲谈也就真个开始起来。照例，由于他的博识，他那半生来奇瑰的经历，谈起来人是难于插嘴的。

我们由湘鄂边境的战事谈到长沙大火，谈到他的故乡桑植。他给我们做着考证：

“桑植就是从前的夜郎国，——所谓夜郎自大呀。”

他半眯着眼睛意味深长地笑了。

“人民强悍得很，”他接着说，态度变得认真起来，“从前老喜欢械斗；打死一个把不算一回事。一两句话不对就杀人。马江口一家姓顾的，为一点小事，叔父把侄子杀了，侄子两个儿子乘赶场在路上拦住他们的叔公公，又把他杀了，连手连足都砍了，头也砍了。——都才这样高的人呢！”

他比着高矮，在一种苦恼的兴奋里沉默下来。

“同志！”他随又叹息道，“这就是野蛮呀！”

我们请他告诉械斗最普遍的原因有着怎样的种类。

“你算呀，”他伸出手臂扳起指头来，“为世仇，为正月里赛灯，为水，为界址，都经常是引起械斗的导火线！一闹大了总是成千成万的人参加。常是打得头破血流的，就是把皇帝老子搬起来都挡不住！”

“可以举几个实例么？”

其芳追问着，但他似乎没有听见。因为他的脸上依旧兴奋而又苦恼，眼光聚拢着，紧闭着嘴，好像他又重新看见了那种大胆粗豪的风习，或者如他所说的野蛮的生活场面了。

“不过野蛮是野蛮。”

他忽然满意的注视着我们，声调柔和的说了下去：

“也有他们的长处呢：朴质，好胜，有骨气！不讲交情硬不讲交情，一信任了你就死心蹋地的不变；不管是拿官，拿钱都买不到他。并且很勇敢，——单跟我就牺牲了不少的人。”

他骄傲地，然而略带忧郁地笑了。

他从裤里摸出烟包来，装上烟斗，吸燃过后又重新装进原处去，这一切都照例做得很从容，有条不紊的。而且照例在装烟之后，十分巧妙地把烟斗送进卷起的手指间几转去掉那些尘埃一般的烟末。其间我问起桑植从前贫富之间的关系，他笑答道：

“那阶级间的关系相当尖锐呢。就拿放利来说吧，有大加一，跟斗翻，我自己家里就是被剥削的。小时候的事情我还记得，借钱付利不算，还要说好话。可是穷人也不弱，一到年成饥荒，总是一个吆喝就把地主的谷子分了。”

他接着告诉了我们一件民国八年农民暴动的故事，

是在迷信的外衣下进行的。当时那座古老的山城正在闹饥荒。有一个平常的人，打鬼的巫师，两夫妇因为抵抗驻军拉夫，失手把一个拉夫的兵士打死了，于是乘势夺下枪支，成立神军，号召起几万人参加。他们的口号是反对驻军，打土匪和保护穷人，一直闹了一年才解决；而这解决的主脑人就是贺龙将军自己。那时候他恰被调到他的故乡去追剿，但他却用贤明的军纪和安抚把他们瓦解了。

但他对于自己的措置并不满意，因为停了一会，他又摇摇头自我批评道：

“可是这并不是办法，以后还闹过一两回，更利害！”

我问他民国以后，土地革命以前桑植的社会关系有过什么变动没有。

“那变动大呢，”他十分自信地回答了，“反正不久我们那里就流行一句俗话：穷人翻身了。很多出去当兵的做了官回来，有钱人倒霉了，反转向从前的穷人借钱。有家姓龚的大家，老头子在的时候，一到冬天总是米呀，棉衣服呀，发给穷人。儿子不成器，花公子一样，几年就把家玩光了。后来连老家伙做好事修的一座桥都要拆来卖，恰恰给我碰到，叫他不要拆，出了百多串钱把桥买了。我那个时候只有二十来岁……”

后来我们又谈到桑植的山川形势，一直到中饭的时候。

八

在师的干部会议这一段时间当中，我们不曾有过比较长的见面，他来看我们的一次时间也很短促。

是一天早上，他照例独自走来了。我们还没有起床。他自动推开了那两扇小门，我也立刻被惊醒了。和阳光一起，我同时发现了他那充满着快活和精力的面孔。他微笑着，嘴里噙着烟斗，两手撑在门榜上面，想到自己还在睡懒觉，我催促着尚在打鼾的其芳，一面带点惭愧坐起来了。

“怎么样，住得惯么？”

我很质朴地表示了我的满意，于是他又含笑道：

“那就好。不要起来，你们睡你们的吧！”

我刚跳下炕，他已经走掉了。

此外就只碰过几次头，在球场上，在晚会当中，在一次空袭后那充满荒凉意味的街道上面。他在巡视着老百姓的损害情形。一个民众剧团的代表来在岚县的时候，我存心要去看他，而且立意和代表们一道去。使我如此打算的原因是这样：在吕家坪谈到男女问题的时候，他宣称他要揶揄代表当中某一个人，因为那个青年人和他一个部下的爱人结成眷属了。

虽然我并没有得到这个机会，可是事后一个当场的同志告诉我说：

“已经提到了！”他忍不住笑将起来，“是昨天上午。有很多人在场。他半正经半玩笑的，劈头就给他一句：‘唉，同志！我们在前方抗战，你们在后方搅我们的老婆！’这个人真太痛快了！”

这件事过半月以后我们才正式的去见他。头天夜里一个在政治部分配了工作的同志来看我们，说一两天后司令部就要开拔了。目的地谁也不知道，只听说要过铁路，要行一个月以上的军。这件事除了使我们第一次懂得了什么叫做迅速和秘密而外，还使我胡思乱想了一个整夜。我想到了我个人的处境。最后，我们决定向他提议，让其芳随着部队走，而我自己单独停下来。我觉得我的决心不可动摇。

在他屋子里的人相当多。大部都是带了商量和要求来的。有的他耐心地向他们解释或指示，有的只消一两句巧妙的反问就解决了。他的行动多少显得匆忙。一个战地服务团的同志也在那里。他们在同他谈着通过封锁线的事。这件事他们似乎不止第一次提起，而且还得到过满意的答复，因为他正倾听着，忽然受到损伤似的站起来了。

他含着微笑，但却显然用了一种不大快活的调子嚷道：

“同志！你们怎么不相信人呀！——我担保你们安全通过好么？”

一个被分派到邓宋支队去的技术工作干部，向他提出的要求顶多。看他的神气那些要求显然是不合理的，他耐心的听下去。直到对方的申诉停止了，他才逼视着他，笑嘻嘻地反问道：

“你是在搬家么？同志！搬家的办法八路军从来没有过呢。”

那是个外貌善良的人，眉毛很短很浓，脸上有点麻斑，随又继续说了几句什么话。

“你拿来有什么用呢？”但他照旧反问着他，“你说呀！”

于是那位善良的同志果然想了想，大约觉得确实没有什么用，敬了个礼，准备走了。

“你们不要看他，”一面还着礼，贺龙将军忽然指着他望了我们说笑道，“他的老婆还是云南的航空员呢。”

另一个接着提到马匹的事，他立刻让请求者满意了。并且顺便讲了许多关于马的知识，建昌马小，善走，甘肃马则很大，等等。他又说，他不久送了匹马给毛泽东先生，还留一张照片。他戏称那匹马是他的有功之臣。

“有许多次危险都全靠它，”他列举着它的事迹，“一次是湘河，正碰着涨大水，河面有五六里宽。不是它也许早就完了。毛主席原来的一匹和它一个样。一九二八年的，去年死了。死过后还亲自去看过一次，叫人挖了一个坑埋起，他两个像满有感情呢。”

我们的老乡陈宏模先生忽然带着挂虑问道：

“师长！听说明天就要出发呀？”

“明天一早走。再这样老吃山药蛋，莜麦，连人都吃蠢了。”

这时我也乘机向他提出我的要求；虽然在接触到他那坚定愉快的风度以后，我的决心已经动摇起来了。我所根据的理由是这样：我打算继续收集晋西北的材料，因为中途搁置下去是可惜的。他微微吃惊着，从而大笑着截断我道：

“同志！到了铁路那面还少你的材料呀！比这里丰富！就要继续找晋西北的材料也不困难呀，部队里随便什么人都可以告诉你，老甘，我，都成。我近来是没有工夫，你都知道的，将来住定了我们一定可以有很多时间谈话。至少一个礼拜谈两三次不成问题。讲老实话吧，同志！说不定我们还要通到关外去呢。”

我再也说不出什么来，我的决心已经总崩溃了。他似乎也看出了这点，所以在我们相视而笑了一会以后，他就关照我道：

“不要再提了吧，同志！马都给你揽好了。”

一个特务员正走进来，他顺势问他钓钩在什么地方，随又取出来让大家鉴赏。

“这是我特别托人从河南带来的呢，”他平静而愉快地说，“河南的钓钩顶好，你们看，钓钩并不大，可是一二十斤重的鱼都可以钓起来。好生检起吧！将来好在松花江钓鱼吃呢。听说松花江的鱼多得很。有人讲笑话，说多到船走过都会挤到岸上来……”

他嫌特务员包扎得太马虎，自己又取来裹上一层厚纸，很仔细地。

九

冒着大雪，我们在黎明的街道上踯躅着，不知道应当跟随那一部份队伍走的好。

最后，由其芳看着马匹，我跑去见贺龙将军去了。院子里相当杂乱，塞满着驼子，马匹，以及等候各种各样指示的人们。他正站在阶沿上下命令。他在大声地说着话，不时又挥动一下手臂。他已经扎了皮带，穿着马裤，头上是一顶淡黄色灯草绒的日本皮帽，神气看来更魁梧了。宽阔的大脸红红的，因此他那一埂横在上唇上的浓髭也就使他越加表现出一种坚定不移的气概。

他的视线首先捉住了我，于是精神勃勃地问道：

“你们准备好了么？何其芳同志呢？”

我把我们的实际情况告诉了他。

“那就好！赶快到东门外去集合吧！跟司令部走！”

他又用同样宏亮愉快的声音和一位穿皮短大衣的同志进行问答去了。

我们没有在路上发现过他。当我们下午到达静乐的时候，他已经坐在兵站部了。他不久才从赵承绶先生的军部宴会回来，正在为房子的问题发着脾气。我们也是因为房子到兵站去的。根据一位不三不四的老百姓的谈话，在那一座颇大的县城里几乎每家都住得有军队，这里几个，那里几个，听口气，大家似乎只有站在街上挡风的分了。加之又是落雪的坏天气。

兵站部长的小屋子里挤满了人。周士梯先生不断地用广东官话和动委会打电话，交涉着住处。大家都沉默着，显出急需休息的不安静的神气。在这种心情下一个人很容易发脾气的。一个类似马兵的同志也走进来了。

他的出现引起了多数人的注意。他态度悠闲的走近火炉边烤起手来；于是贺龙将军耐着性子问道：

“你有什么事情吗？同志？”

除了烤烤手他有什么事情呢？他如实地回答了他。

“没有事情就请出去好么？”显见得快要爆发了，“同志！都堆在这里做什么呀。”

在那一个外貌有点尴尬的同志出去以后，他一连接到两三次报告。他们都向他诉说着同样的困难。这一下使他真的发火了。他愤愤地骂着他们，态度很激越。一直到他们走了一会他才逐渐平静下来。他坐在一张靠墙的独凳上，吸燃着烟斗，一面不耐烦地用左脚赶着那只老在他凳子底下擦痒的黑色小犬，烟吸燃了他都没有做成功。他默默地站起来，从对面墙上取下一根挂着的马鞭，于是那个倒霉的动物用着嗥唬来回答它的愚蠢和过失了。

躺在炕上的甘泗淇先生坐了起来。他是特别高兴说笑话的，他装着正经批评他道：

“你这个人太残忍了。”

“怎么样，你心痛吗？”

同志间的打趣使得他怒气全消了。他笑了。随即宣言他自己明天要去打前站，担负起交涉房屋的责任。他相信他是会做得很出色的，因为第一个有利条件就是沿途的动委会他都熟识。他正说着，一个副官处的又跑来报告了，说房子大部份已经勉强找好，只是一家宅第的主人死也不肯让出几间空房子来住扎师部。

这使得他又发作了，嚷叫道：

“你给他搬进去就是了呀！管他承认不承认！难道他还会把你赶出去么？”

这自然是气愤话，因为板着脸沉默了一会，他又用一样显然含着极大忍耐的口气这样说了：

“搅他妈的鬼啊，——站着做什么？把铺打开大家挤着睡呀！”

“这个炕太小了，”特务员担心道，“看还睡得上五个么。”

“炕小就挤紧些，总不能搁两个在外面露起呀？！”

他又吩咐他把自己的铺位挨近墙间，说是自己人多了睡觉他是不愿意睡中间的。他含笑望了甘道：

“可是老甘无论如何也不要挨着我哇，他身上有虱子。”

“造谣！我会有虱子吗？你看：清洁，整齐，严肃！”

他忍俊不禁地大笑了，一面进行着反驳：

“一定有！你不要骗我！”

一〇

我们在河北灵寿县的七祖院村停留了七天，大家都以为是住定了，后来才知道是在那里准备通过平汉铁路的繁难工作。

是刚到七祖院村的夜晚。因为寂寞单调，我和其芳正在那家豆腐店的破炕上纳闷，一阵不成腔调的歌声把我们引到街上去了。街上黑的，但我们终于找到了村救亡室，那传出歌声来的地方。耽搁了一两刻钟我们才退出来。我们照旧摸索着，一面说说笑笑的交换着我们对于那些村民们和儿童们的印象。我们的眼睛忽然全部失掉作用了。

一个电筒的亮光对我们直射过来。一会我们才听到一种带点惋惜的宏亮声音：

“你们来得正好！哎呀，我今天找过你们两次了。”

我们立刻认识出是贺龙将军。在行军当中，我们不时总看见他急驰着从列子侧面奔过，或者挟着黑皮大氅，和同志们交谈着，一面不知疲倦地跋着山道，但自从在晋冀边境的沙湖滩见过一次面以后，我们便再也没有发现过他的踪迹。而他现在，又屹然立在我们的前面了。

他又把电筒朝着街的东头照了照，带着一点捣鬼意味继续说：

“走吧。我们到邹全那里去，看这个家伙在做什么。”

邹是一个苏联回来不久的青年干部，大个子，聪明而且愉快，有点孩子气。我们一到他就夸耀似的把当天从附近市镇上买的东西全搬出来：白糖，茶叶，点心，以及别的一个月来没有见到的物事。于是贺龙将军也同样孩子气地笑了。

“好得很！”他激赏着，“赶紧一样拿一点我们到司令部去扯乱谈吧！”

我们在他那里一共呆了两三个钟头。所有一个多月行军中因为疲劳和不习惯招来的烦闷，全部都消解了。

的确，围着火炉，喝着好茶，一面在北方小村落冬夜里特有的静穆当中倾听着他那种生气勃勃的谈吐，可以说是一件人生中难得的愉快。他讲述了许多晋察冀边区的情形给我们听，因为他恰恰是才从边区的中心地带回来的。对于边区之成为抗日模范根据地的原因也分析得很详细。

他认为边区的最大特色是军权政权的真诚合作。他说：

“比如我们拿初期的情形来看吧：军队在前面打，打下一个地方就让政府自己恢复政权机关。在有些地方，比如唐县，完县，把伪政权摧毁了，政府的负责人还没有到，军队就帮着建立，到了的时候就立刻交还他们。说是不准直接征粮，一个命令下来军队就首先实行。要成立银行没有基金，军队就自动把自己领的饷款拿出来。像这一类情形你在那里去找？！”

他一气说下去，而在坚定地凝视了我们一会以后他又叹息着补足了：

“不是吹牛，同志！不是八路军要做到这步程度也相当费把劲呢。”

我们问起他在敌人毫不放松的进攻下边区发展的前途。

“没有问题！”他满不在乎的回答道，“单同你讲这一点好了：上次政府发行一笔公债，才两个月就销完了。还有多的！为什么会这样呢？下层群众都发动起来了呀。比如，一个乡下人，他卖点粮食买两块钱的，一个老婆子做几双鞋子卖了她也买一点，这一下什么人还好意思不买么？后来所以连保定，天津，北平，敌人的老窝子里都销起去了。你们想像这种情形，日本人除了头痛他有什么鸟儿办法呀？！”

他最后又为我们介绍了好几个在边区占着重要地位的人物。宋劭文先生是牺盟会的领导者之一，很有民族精神。文化厅长刘定庵是一个干练的国民党党员。但在边区地带内，后来是很少有国民党的组织的，抗战以后才普遍成立，一面发展着党员。现在已经有了一个相当的数目了。

在谈到聂荣臻先生的时候他特别望着我们笑道：

“这个人还是你们四川江津人呢。就在游溪镇的河对岸住家。勤工俭学生，又住过苏联的陆军大学，人相当能够。”

他最佩服的是边区共产党负责人之一的彭真：

“这个人了不得！”他认真地说，“对革命坚决得很。在华北的青年当中信仰满高呢！”

他激赏地点点头，于是上身倾折下去，两手捧着烟斗吸起烟来。

“确实坚决！”他忽然又把腰身昂起来了，“北平天津几个地方的监牢都坐过。在监牢里领导过四次罢饭。第一次两天，第二次七天，第三次二十天！”

在说到二十天的时候他的声调变来很激越，使人感觉他的停嘴仿佛是因为他的音调不能再高，而又没法降低下来似的。十分显然，同志间的英勇行动使他变成骄傲而狂热的了。他带着得意的微笑注视着我们。

我想起了彭真先生给我的印象。八路军前方各将领在延安招待文化界人士的宴会上我是见过他的。北方人的大个子，温静聪明，脸上不断地浮着微笑。虽然并不妨碍他的大方，但我总觉得他是有点腼腆的。我也多少同贺龙将军一样沉没在一阵喜悦和激动里了。

他含着得意的微笑注视着我们，随又自语般地叹息道：“同志！二十天呀。”

于是他凝想了一会，这才靠在椅背上认真地抽起烟来。

一一

黄昏的时候，我们正在豆腐店那间到处封满尘土的老屋里计划写点东西，他走进来了。嘴里衔着烟斗，手插在裤袋里面：他望室内打量着，下着批评。但还没有谈上三句话，陈宏模先生也走来了。这是一个精明能干的人，个子十分瘦小，他一进来望见大家就立刻发出一种兴高采烈的笑声，甚至跺着脚来表示他的惊异和愉快了。

他的神气看起来是颇为激动似的。他笑嚷道：

“好得很！我正要找你们三个人谈谈！真遇缘极了！”

而贺龙将军于是退往一张正对了门安置着的柜子边去，从容地靠在上面。他毫无惊异的颜色，平静而又冷淡，仿佛他是一个观察家，或者一个看透了人情世故的老人一样。他的态度和联络参谋的显出一种奇怪的对照。

“你说是什么事情呀？”他简短地问着对方。

“什么事情？要找你们三个人合作起来供给我的材料呢！作战方面的，群众方面的，什么都要一点，——不然将来回到后方去大家问起怎么办呢？！”

“那容易得很，”取去烟斗，他平静的回答了，“这还不容易，我供给你好了。要多少有多少。还有什么问题没有？”

“没有了。哎呀！现在算是一下有办法了！”

“这还不容易。走！我们出走逛一转看。”

于是他悠悠闲闲的把我们一直领到了养马的地方。在村外一家散居的老百姓屋前空地上钉着很多木桩，有的就利用树木，上面套着相当数目的马匹。其中有几匹是王震先生新近才送他的，但他似乎已经弄熟悉它们的性格和毛病了。他一匹匹地下着批评，但从他那一直显得冷淡的神情看来，他不过是在向着他自己表示意见而已。

在到了司令部以后他的态度也没有改变。这时天已经黑了。他默默地亲自望一个平常煨水用的小炉子里加着木炭。并且几次用脚移动着它，端详着，看它是否已经蹲在一个所有的人都可以取暖的适当地位。我们大家都落在一种不大自然的沉默里面。最先打破沉默的是陈宏模先生。他要我详细告诉他当天我们去附近镇上访问农会的情形。

我照着他的话做了。而当我揄扬着几个农民干部在文化上的进步的时候，贺龙将军忽然插嘴道：

“这算什么？我们一般干部不都是农民出身的？从前一字不识，现在你去同他们谈谈就知道了。”

“是呀，”陈同意着他，“你单看那个警卫班长吧！怎么这两天不见了呢？”

“带人到前面侦查去了。你看他土头土脑的吧，他还满有办法呢。”

一直被他叫做张娃儿的特务员，一个登登笃笃的青年同志，这时走进来添好炭随又退出去了。

“就像这些吧，”他望着那挺直结实的身影说，“一放出去都是有办法的。时间还不要多久，只要混上三月五月，一搅两搅他就会搅出一个满大的队伍来。”

陈又照样同意了他，并且把抗大的同学同等地夸奖起来，而他立刻柔声地否认他道：

“那些都还是蛋。出来工作一年两年看还成么。就像石头样磨来磨去，磨玉了就对了。”

他的调子是充满着一种爱抚和期望混合的感情。在谈到许多干部的时候他大都是这样的，恰像在谈着和自己同一血统的亲属一样。对于杨家瑞先生，一个支队长，行伍出身，曾经作过红军的团级指挥员，而自从八路军进入山西便一直在太原附近打击敌人，他似乎特别感到兴会，当联络参谋提起他来的时候，这晚上第一次的他显得有点兴致了。

“那能打啊！”他半眯着眼睛拖长声音叫了，“看样子三天难说两句话，热也是那样，冷也是那样，——一块面团呢。”

他跟即又兴致勃勃地插画了另外两三个干部的风貌给我们看。

“比如宋时轮吧，”他用同样的调子继续说，“那才要命！他就从来一句话都不多说，石头一样。人又小又黑，比何其芳同志还矮，看了不成样子。嗨，可是东一搅，西一搅，他会搅出一个大队伍，通到冀东去了！”

陈宏模先生称誉这些人都是白手兴家的能手，而他坦然地笑了，解释道：

“这也正是八路军的一点特长：随便丢一个干部出去都能够工作，能够独当一面，什么困难都能够打开。失败的很少很少。不过说句老实话，同志！就是这点特长也是共产党拿血换出来的呢。”

于是在向我们投过严肃的一瞥之后他又从新望椅背上靠去，慢条斯理地吸燃烟斗，两手搁在椅靠上面，显得更冷淡了。所不同的是在他的冷淡中添加了一点近乎傲岸的自信。在谈到共产党和八路军的时候他的表情是多少总带点这种意味的，但也立刻就过去了。为了沉默的不合适，陈又和我单独讲说起来。我们谈的是灵寿优待抗属的实际情形。

我先告诉了他一个大概，而正当我准备说出其次一个实例的时候，贺龙将军的暗笑使我停下来了。他依旧摊在圈椅里，但却除去烟斗，一面回忆着什么似的，思索着什么似的，一面向我讲了一个关于抗属的故事：

“一个老太婆也是儿子被打死了，”他自语似的慢慢地说，“自己动不得。按照优待办法，全村人都该帮忙她，这个担水，那个劈柴。她高兴得很，以后逢人便说，从前我只有一个儿子，现在全村人都是我的儿子了。”

我们都忍俊不禁地笑了，但他又站起来继续道：“这一下再也没有人帮她的忙了；你们想谁愿意做儿子呢？”

他懒懒地凝望着我们，使人觉得应该是让他休息的时候了，我们于是告辞出去。

一二

一天晚上，因为在座的人谈到朱德先生，他问我和其芳有没有见过面。

“他不像你们四川人，”他摇摇头说，“他常对我们讲，四川，一个夔门就生拐了！一开口讲演，他总是说：中国，世界！”

他带着尊敬和爱抚笑了。

“是个帅才，——是个帅才。”

说完他便立刻进入一种满足的沉默里面，好一会没有讲话。在我们偶尔提到汪精卫的叛国消息的时候他也照旧不动声色。直到我们的愤怒快要发泄完了，他才忽然慢条斯理，像在审核着每一个字句似的，望了我们笑道：

“还是离开延安的时候，”他看了看手上的烟斗，揸了揸它，“我去找毛主席，问他最近的政局会不会有什么变动，他就很肯定地告诉我，汪精卫迟早在今年会离开国民党的，现在已经证实，我也可以说了。”

他沉思似的笑着，眼光落在红红的木炭上面；但不久却又仰起脸来，紧盯住我们了，叹息道：

“你们不要说，老毛在政治上军事上的天才要些人来比呢。”

于是他用一种略带感情的调子叙述了一些关于毛泽东先生的事迹。他的反对陈独秀和李立三路线，以及他在遵义会议当中的主张。而这些都是首先由他提出，随即得到共产党全部干部的支持，在结果上证实其为绝对正确的。他又形容了一回毛在一次事变初发时对付少数彷徨不安的人的态度。

“他只是说不能打，”他向我们否定地摇着手掌，“绝对不能打！无论如何不能打！”他忍住笑，压低声音神情显得焦灼；他绕视着我们，仿佛我们就是当时的对手一样，而最后，他是那么酣畅地，哑声地笑了。

他对若干历史事件的经过知道得顶详细。他很称赞某一位青年将官，认为他确是顶纯洁的，顶坦白的，并且有干劲，曾经作出过第一等的勇敢行为。但在以前，贺龙将军是看不起他的：“父仇不报一枪不放就丢了三省，又是他妈个大烟胡芦，一天只晓得跳舞，搅女人！”

“九·一八过后我们骂得他最厉害！”他大笑着继续说，“几乎每天都骂；过草地的时候也骂，——一直到甘肃！”

他笑得呛咳起来了。

当他缓过气来，我们又由某次事变转到抗战，转到抗战中的各种部队，他推重中央军，因为他们有着广大的数量和现代化的装置，而在抗战中起着大的作用。其次，他认为广西最有成绩，部队能打，出的兵也不少。他嘲笑了几句一支初期参加作战的地方军队，因为他听说他们只有一个念头：领新枪械；此外便再也没有其他有出息的想头了。

大约因为我们是四川人吧，他对川军印象很好：

“一部份在山西和八路军配合作过战的就不错。——其实湖南的部队发生的作用也相当大呢！这一点我们应该说是 ×× 的功劳。我从前是很讨厌他的，什么事都用他的同乡人！”

“× × 还主张过读经呢。”其芳插嘴说。

“这也是我见不得他的地方，想把湖南的青年人全变成老顽固。还有一点我恨他的：他把我的祖坟挖了！你们不清楚，我两个早前还是把兄弟呢……”

我们忍不住笑了；他也真像是在谈着一个把兄弟似的笑起来，并又正色道：

“不过讨厌归讨厌，建军这一点我们是不能否认的。除了几个师，你想，还有很大数量的保安队。在湖南的时候通跟我们打过几下；那他可又不行了呢，每一次都要道谢他的大批枪支！”

“说实在话，”好久不曾开口的陈这时接着说了，“我从前对华北是不大有信心的，现在倒满乐观了。大家都看见的，一过静乐到处是八路军！”

“也不能那样说，几条铁路倒是给它摆布了的。……”

他轻声说，感觉得有点害臊似的。也许就因为这点他忽然故意一般改变了话题，关心到两个伟大女性的相当清苦的晚境，并且深深地叹息了。

“听说穷得很，”他感慨无量地说，“一个是一位家属每个月送点钱过活，一个就靠卖点字画。前年还叫她儿子送过我两幅，可惜全搅掉了。老实说这些人国家是该帮助的；她们对于中国的供献并不少呢。”

他接着又称誉了一番她们在革命上的功绩。我们离开他的时候已经是夜深了。到了街上我才记起手套还在桌子上，我又退转去取。在院坝里，一个人忽然从黑暗中问我道：

“那个？”

是贺龙将军的声口。我说明了原因。而当我再转出来的时候，他还停留在那里；他叹息道：

“咲，老沙！你莫说，我们刚才讲的几个老太婆确实不错呢！”

天空只有很少几颗星子，一个冷冻而严肃的夜。

一三

离开七祖庙的前一个夜晚，当我们向他叙说着我们在部队中的感触和不安的时候，他笑着截断我们道：

“同志！到了目的地就好了呀！那个时候还愁没有你们的工作？多得很！四面八方都是材料，恐怕你们两只手也来不及写！行军当中是只好这样呢：走路，吃饭，睡觉！你看我还不是和大家一样？”

他笑问着我们；但他的话题显然是不实在的，他并不清闲。我们惶惑地笑了。

“听啦！”停停他又商量似的继续说，“我们一到冀中就打发人到天津去买照相机，你们学着照，那里一打仗你们就去，选着那个有价值有意义的把它照下来，以后每篇文章都附相片，——这样顽固份子总不能造谣了吧！？”

最后他还加上一句粗话来表示他对于种种游而不击的烂言的愤怒。在闲谈中接触到这类事情的时候他总照例不大痛快，好像受了委屈一样；虽然他是相信着全国人民毫无成见的眼睛的。我们也向他提出自己的计划。但当我们谈到时间问题的时候，他立刻挥动着手臂阻止了。他大笑道：

“三月五月不要提吧！你们准备住上一年两年再说回去的话好了。同志！将来反攻时期我们是在最前线呢！”

“因为学校里的规定。”

“这没关系！容易办得很！我给鲁艺打个电报去好了。”

“我们还办了一个杂志……”

“更不成问题！你看啦，等到到了目的地，我们把交通线弄好，你们写好一篇我们就设法送出去还不是一样？”

他询问地望我们一瞥随又加上道：

“你们最好是抄两份，自己留一个底稿。”

“我们还有些私人问题。”我迟疑地说。

“什么私人问题？”他紧接着反问了，“你说出来我一样帮你们解决呀。”

但我没有回答他。我在想像中看见了一次他在延安时的神情：他握了烟斗拿背靠在副官处的檐柱上，勾着脑袋，好一会不说话。他似乎很苦痛。一个人不是石头，在谈到全家族的牺牲时他是会感到难受的。然而他终于昂起他那饱经忧患的坚毅的颜面来了。他坦然地说：

“革命是要牺牲的，他们的血并没有白流！”

对着这样的人你怎么好意思把女人孩子的事搬出来和他打麻烦呢？……

我一直沉默着，一句话也没有讲。大约他在另一个意义上看出了我的难为情了，他随即解嘲似的，懒洋洋地继续道：

“有老婆的呢，把老婆接来，没有，在前线上找一个就是了。还有什么问题？”

邹告诉他我们的鞋子烂了。

“怎么不早说呢？我一直就叫你们不要客气呀。”

他跑到门口吩咐小鬼去叫副官处的同志。而在退转来的时候，他又从上到下地打量着我们：

“在岚县叫人给你们缝的衣服呢？”

我们说明了原因，于是细着眼睛，他十分酣畅地笑了。

“哎呀，你们文学家也该穿得像个文学家的样子呢，怎么像个火夫一样！”

副官处的负责同志来了。在交托过我们的鞋袜，津贴等等之后他又拉长脸指责他道：

“你们这些人呀！给你们说过的……”

他没有说下去，仿佛正为一种忧思所苦一样。他随即转了话头：

“好吧，去找司务长弄点东西来，——你自己也来吃。”

他最后几个字在声调上带着一点揶揄人的意味。在日常无关大体的谈话当中，在对待过于熟识的朋友的时候，他总是喜欢作弄人的。而且分明是一句极普通的话，一到他口里便立刻变成新鲜有趣的了。但是过了好一会我们的谈话又才活泼起来，吃着油煎馒头，我们一面谈到几个熟人，他们的生活和他们的风度。

最后邹提到一个女同志，他玩笑地批评她道：

“她确实跟别人不同,有点骄傲。因为拿起镜子照照,觉得自己也实在长得漂亮一些。”

“是呀!”另一个青年同志应合道,“我就讨厌她死了!话都不愿多同她讲——”

“那又要不得呢!”

贺龙将军忽然变严肃了:

“你应该帮她进步才对!一个人是免不掉有缺点的。”

他问起我鲁艺同学们的生活情形。我大略告诉了他一点。而当我正开头叙述一件小故事,小部同学因为随着一个干部去军区参观惹来的烦言的时候,他似乎早已知道得更清楚了。他叹息着切断了我:

“这都是领导不好!对新同志要特别仔细才对:吃呀,住呀,你都要帮着他们计划。……”

去的时候他又再三叮嘱我们,叫我们不要向他隐藏自己的困难。

一四

我们不但胜利地通过了平汉线，并且到达冀中军区附近的惠伯口了。然而我们正碰上一个相当严重的局面，雄县、霸县、安国和深泽，这些大清河、滹沱河沿岸的重要城镇，都相继落在敌人手里了。在通过敌人封锁线不久我们又听到了河间、肃宁同日失守的消息。我们觉得摆在贺龙将军和他的战侣面前的将是一长串的艰苦困难的日子。

到惠伯口的下午他派人约我们到西泗头去。他要我们去参加一二〇师和第三纵队的干部联欢会的。他在三天前便已住在那里了。他在人丛中站着，挂着六轮子，军帽掀高一点，神气恰像一个调皮捣蛋的老兵一样。他把我们介绍给军区的联络部长。那是一个地道的北方大汉，脸有点浮肿，抗战前是当乡村小学教师的。在介绍过姓名以后，他照例又用他那亲切的玩笑口吻谈下去了。

“那吗，”他拍着对方的肩头，“现在是该你做联络工作了：把他们的马叫人牵去喂起好吧？”

“没有问题！我马上叫人。”

小学教师同意着，立刻东张西望起来，嚷叫着人名字；但他打断他：

“你不要忙，还有事啊，有他们的饭吃吗？”

“没有问题！”

“那就好。以后你们没有饭吃就问他好了。”

仿佛一个交际场中的熟手一样，转身他又把我们介绍给政治部孙主任，其次是整齐沉着的吕正操先生。又瘦又黑的长条子人，有点书生气。当我们正和我们的新相识寒暄的时候，他已经走掉了。饭后在大会场中我们才又再见到他，并且听了他那热烈而又坚决的讲演。他使我错觉到他是在台上舞蹈一样。毫无疑义，大行军的胜利完成是使他太高兴了。

在观剧的时候他一直微笑着，便是晚会快要终场，军区的同志来向吕报告敌人已经迫近二十里左右的地区的时候，他也毫无改变，而且全不张理他们那些略带焦急的短促的商讨。等到散会了，他照旧笑着，向上掀了一下帽子，望我们关照道：

“你们先骑马回去睡吧，我还有点事情。”说这话时他的眼角浮着一种意义不明的暗笑。当夜一点钟，我们就随着部队向南转移了。目的地是边塞村，一个距离肃宁只有十五里地的荒凉的村落。我们在那里安安静静地住过了两天；而在第三天上，我们才知道在前一晚的夜行军中，他从马上跌下来，跌伤了。但我们直到当天晚上才见到他。因为白天我们总是碰见一批一批的工作人员在同他商量事情。和我们同去的有邹仝，以及另外一个年轻的秘书。

他斜靠在炕上，精神有点颓唐。一望见我们，他便慢慢地坐起来，摇摇头回答我们的慰问道：

“好多了。没见发冷了。前两天一到夜里就只想向火；这样偎住火都不够。那个味道呀……！”

他闭紧着嘴，眉头聚拢着，显出一种难于忍受的样子；但他随又静静地笑了起来：

“同志！三天没有跨过这根门槛了呢！——你想，我这个人三天不出门？”

他问着我们，笑得更好更亲切了。

他忽然注意到其芳在同一夜里跌坏了的，缠了绷带的手臂，关切地追问着我们；我们把经过的情形向他说了。于是他叹息着，向我们讲到一些骑马的方法，以及他自己从马上跌下来的经过并且促我们注意：

“畜牲也像人呢，它救你，你也要救它。有危险的时候你千急不要乱动。等它站稳脚了，你才慢慢梭下来，人也不吃亏。不然的话，不说踩你几脚，压也会把你压坏了。我的处境有点不同，所以我只有掀开它，先救起自己再说了。”

说完时他的脸上浮上一点捣鬼的微笑，但又愤然地接下去了，高声道：

“老实说我跌跤也要看年看月呢！同志，十来岁就骑起马的呀！”

一个小鬼，大约不过十三四岁，第三次走到门边来窥伺了。他柔声地招呼住他：

“你进来呀，小鬼。”

小鬼走进来递过一卷电报给他。

“这是几天的吗？”

“几天的。”

“几天的我就懒得看了。”

他依样还给他，但却叫他留下来在屋里向一会火。那是一个多少有点羞怯的孩子，瘦瘦的，很静穆；他默默地靠在炕沿上，挨近着贺龙将军，他低着头现出一付思索的神气。他忽然仰起脸来，带着真切的挂虑问道：

“好了点么？”

“好多了。冷也不发了，下午还吃了这么大一碗粥。”

贺龙将军微笑着，柔声地回答着他。而我们则一直被封锁在一种高贵庄严的沉默里面，感动里面，好一会没有说话，连嗽都没有人咳一声……

最后，邹把我失落材料簿的事向他说了。在通平汉线的夜里，一个同志嚷着要白纸头，但谁也没有。于是我把一册写了小半本的日记簿取出来让他用，叮嘱他到目的地后再归还我，但我后来找不到它的踪迹了。

当邹说完过后，他惊问道：

“真糟糕！是怎么掉了的呢？”

我向他说明着经过，于是他又苦笑着叹息了。

“这也算讨了一回乖！同志！那些武棒棒他管你材料不材料呀！”

一五

从边塞村动身的时候，为了减小夜行军的烦苦，他约我们和他一道在部队先头走，这样就不会受到行军行列的限制，可以任意驰着马提前赶到目的地休息。在我们这是极需要的，因为自从进到冀中以后，我们便很少有大白天走路的机会了。

我们四点钟左右出发，一共有十五六匹马。他拥着一件黑羊皮外氅，皮帽子的耳罩挪下来，多少还带一点病容。他让他的马自由地走动着，相当缓慢，但走过十多里路以后，也许是那广阔的大地以及同他那毫无掩饰的性格一样的北方的落日兴奋了他，他忽然在积雪的原野上急驰起来了。

他驰骋着，不时又大声地，回转头同那些挨他最近的骑者交换着简短的问话。他已经全然没有一点病人的形迹了。他的脸色红红的，老是浮上一层无所牵挂的愉快。遇到前头的向导对于路线感到困难的时候，他就急驱向他，把地图夺过来，问着，审查着方向；而在最后，他总十分敏捷地指出一个隐约村落来，他随便的，一面笑着嚷道：

“你就朝那里给我走吧！只要有一点影子就不怕它了！”

于是我们毫无疑虑地策着马前进了。简直就连疑虑这两个字也没有想到过。然而有一次我们却走了错路，我们直望着一条白晃晃的冰河走去，以为可以缩短一点路线。提醒我们的是一个老乡，他站在村口大声嚷叫道：

“你们过不了的！同志！从那里绕转来吧！”

贺龙将军首先停勒住自己的花马。

但他踌躇着要从大路转去是相当远的。最后，他这样的决定了：

“走直线吧，就从这里过去！”

我们大家下了马，牵着马匹，一直望着那个小而破败的村庄走去。可是这不是一件简单事，那托着我们和我们的牲口的恰是一片冰冻着的大水淹过的田野，冰很薄，泥土是湿泞的，有着破裂的危险。我们都当心地走着，试探着，全部注意都集中在脚上。他在我们的前面不时发出一声宏亮愉快的提示。

“离远一点，担心踩破啊！”他的声调使人觉得他是在玩着游戏一样。

大约一点钟后我们才又重新在干地上走。过河以后，那个自愿的向导又领我们走了几里路，并且仔细地交待过我们的前程，然后才和我们分手。这件事在贺龙将军看来是十分重大的，他认为应该是我们坚持敌后抗战的出色条件。

他奔驰着，不止一次地转过身来嚷道：

“河北的老百姓太好了！……”

再过去几个村子也有自动为我们领路的。我们到达尹庄的时候已经九点钟了。这并不是一个很迟的时间，我们，以及我们的两个新伙伴，正在喝着开水，贺龙将军走进来了。他尝了一点，批评道：“是苦水！”于是同我们谈起甘肃的水来，以及那里的人们对于水的珍惜。你可以随便吃人家的馍，而一碗窖水有时却同生命的价值相等。

“其实他们做的馍并不难吃呢！”他着重地解释道，“这样宽，这样长，就和外国人的面包一样！”

据他说，有的水喝了甚至是会死人的；有硷，烂肠子。而在他们新到时就曾经上过一个大当。他惊呼道：

“我的娘！才一两天就死了一百多匹牲口；那些马都是经过长征的。人也弄病了一百个！……”

他做出一付苦脸，摇摇头，深沉地叹息了。

“那里的冷也要话说，”停停他又继续道，“那个味道啊，说起来都怕人。这一点冷算得什么？我记得还有一句俗话：中国十八省，天下第一冷，要数双眼井。而我们恰恰住的就是那倒霉地方。”

照例，凭着他那浩瀚的经验和锐利的联想，一开了头，他的语言就立刻会像大江一样地倾泻而下的。从甘肃和甘肃的风习他又谈到当时友军的追击，以及一团骑兵和他们的关系。因为这团骑兵在政治上的进步，同情着他们北上抗日的这个值得感动的目标，不但经常放弃自己所负的任务，有一次，甚至把整个军事计划都送给他们了。

在这样的情形下，他们的处境无疑是十分困难的，因为他苦恼地继续道：

“那个时候真作难人！大家想打吗，怕破坏团结；不打吗，太气人了！同志！从湖南起，我们就给他们写起信，说我们是北上抗日的，一直没有停过呢！可是就连回信都很少接到，——你看欺负人么？”

他愤愤地望着我们一会，遂又叹息着，静静地加上一句：

“同志！老实讲，也要我们共产党才肯这样的顾全大局呢。”

他沉默了。他把炕几上三个烧饼拿来摆着，叠着，像是在玩着积木一样。但他一下子又推开它们，向我们说到红军和东北军首先建立起统一战线的经过。这件事的成功是以东北军的一个师长高福源作契机的。高一次被俘了，于是和对其他的俘虏一样，他们宣传他，说服他，把伟大的民族仇恨摆在一个失掉了家乡的人的面前；而三天以后，他终于自愿以一个使者的资格，回转西安去了。

“同他讲话的是彭德怀，”贺龙将军下着注释，“第一次谈话就把他说哭了。他们一共才说三次话。”

因为张兆麟先生也是东北的，他又问他知不知道这位有着历史价值的人物。

“这个人真可以说是统一战线的功臣呢！”他热情地赞叹着，“虽然没有他中国也会抗战的，但要迟得多！可惜后来牺牲了。……这个人真了不得，是个英雄！将来你们东北人不给他立铜像我们都要立！”

他傲岸的微笑着轻轻击了一下炕几。

一六

因为陈，宣传厅的张梦麟和文艺工作团的雷加要回后方，他约我们去一道吃中饭。

我们到的时候看见大家都在向火，保持着一种略带拘谨的沉默，而他自己则像岩石一样屹立在屋子中央。挨着他站着的是周士梯参谋长。他在默默地阅览文件，一只手擎着，一只手插在裤袋里。最后，仿佛要将自己显得更高似的，他颠一颠脚，于是抿了一下嘴唇，以一种干练而且沉着的眼势对着周凝视着了。他沉吟道：

“这个不太简单太空洞了吗？这里只写了五点，说明了一般的任务，还缺少中心工作呀。”

他又注意地翻阅了一会。

“你想，”他沉着地继续道，“现在还是个水湿屋子，主要的要形成一个战斗的中心任务才对呢。拿着吧，等一下我找老甘来再商量好了。”

他慢慢地退到房门口去。他靠在门榜上，静静地笑着，但却显然是在隐藏着自己正在进行的深沉的思虑。其间客人们的闲谈已经开始了，话题是东北和流亡关内的东北同胞。我在讲述着一位东北朋友因为妻子跑进抗大而自己不能不兼上一份母亲的职务来招呼孩子的动人故事。我说得琐碎，甚至描写起那些细节来了。我说：

“看到真难过！人又生得胖，眼睛又近，一天都把孩子抱在手里……”

“这个人是来当兵一定会打死的！”

他忽然硬朗地插断我，随即走出去了。

在聚餐当中他的态度也没有多大改变，很沉静，很少说话。下午五点钟在离尹庄三里地的店子头碰见他的时候虽然略好一点，和平常一样地有说有笑了，但我总觉得他的说笑只是一个外表。他是另外有着一种固执的想头和期待的。当时我们正在路边和莫耶说话，他默默地走近来了。

“莫耶！听说你在行军当中很不错呀？”

莫说起初很困难，现在能够走了，但他摇一摇头：

“还不成！再熬一些时候就真不错了。”

他要我们去看小鬼，到抗战剧团去。屋子里只有一个勤务员在烧炕，很清静；但几分钟后，大大小小的团员们便陆续把屋子填满了。他们像欢迎一个远道归来的家长似的接待着他。他们随意地提出很多要求，他都承认着，一面解嘲道：

“唉，同志！我还是这个剧团的后台老板啊！”

剧务主任担心着女角缺乏的问题。

“这个容易！”他断然地回答了，“你莫慌，听说抗联的剧团很不错，演员大半是北平来的，问他们要人好了。”

“恐怕不会拿好的给你吧？”

“谁叫你先讲出来呢？他们不久就要演戏的，看那个演得好，你们就把名字记下来，我们将来指定人要，他还跑得落么？你们怎么这样老实呀！同志！”

他扮了一下鬼脸，大家都笑着同意了；随又用拳头击着炕沿添说道：

“一定要找人来！也该让张斌休息了。”

张斌是剧务主任的老婆，抗战前在天津作看护，一个天才的艺人，已经有着六个月的身孕了。这时那个又黑又瘦的小鬼已经烧好炕。他摸着他的头顶端详着，问他的姓名籍贯，而在知道了父亲是高阳城里的铁匠，自己不久还在学着打铁的时候，他出惊似的笑了嚷叫道：

“哎呀！那这个小鬼的成份还不坏呀！你认识字么？”

“认识两三个字。”

“才认识三个！要努力学习呀！”

他眉头皱着，声调里带着一种深厚的关切。

有人忽然诉苦起没有武器在平原上游击的危险来，他同意了，答应发给些手榴弹和马枪。这立刻在小鬼们当中惹起一阵纷扰，大家都毫无顾忌的演习着使用武器的姿式，笑嚷着，而贺龙将军则认真批评着他们，教导他们一个人在拔去手榴弹的帽子的时候应该注意的条件。我们走的时候天已经黑了。

和平常比起来，在路上他的谈话也同样使人感到一点冷淡。他说当天军区的一位营长来看他，因为知道他爱马，认识马，还特别牵来几匹马要他品评，并且把其中的一匹自夸得很利害，真像一匹宝马一样。他继续道：

“看样子他是想送我的；只等我说一句他就送了，——我才偏不开口！”

他恶作剧似的冷冷地笑了。而在回家半点钟后我们得到了大曹村战斗爆发的消息。这是我们到冀中后的第一次战斗，并且就在次日中午，担任作战的六团便已胜利而愉快地完成了他们的任务。

一七

整整听了一天的大炮声和机枪声，躲了两次空袭。大曹的战斗又规模更大的开头了。这距上一次的战斗仅仅只有两天。

根据一般的情报，河间、蠡县和高阳都有敌人增援出击。因为在将近黄昏时候还放过一次毒气。一个通信兵，嫩得像个小孩子样，驰着一匹红马望村口奔过去了。街上只有如水的月光和哨兵。炮声很密。我在街上站了一会，因为希望能够从贺龙将军那里多知道一点消息，便向司令部走去了。

我没有碰见他，但当我退出来的时候，却忽然听出他那紧张而又愉快的叫嚷：

“你们马上反冲锋呀！——听见了吗？马上反冲锋！”

他在向前线打电话。而且就是这个反冲锋成了功，三点钟的时候我们摆脱了敌人的合击阴谋，向着留班塞转移了。留班塞离饶阳十二里，一个相当整齐的村庄。我们在早晨七点过就赶到了。村中心的空地上搁着几付担架。他就挺直地站在担架旁边，衔着烟斗，两手插在敞开的外套口袋里面。他的帽檐，耳罩和衣领，乃至他那浓黑的胡子，几乎完全结了霜了。

他叫我们跟他一起站着晒太阳，并又告诉我们道：

“我拢得顶早，小学校才在升旗。你看现在已经在上早课了。”

他一直等到直属部队过完了才回司令部去。我们再看见他的时候是第三天夜里。因为到留班塞后他就忙着军事上的布置，不断地接见着群众的慰问代表。他的客室里是几乎每天都坐满着人的。毫无疑问由于两次大的胜利，一二〇师已经在冀中人民的信仰中站住脚了。而且在一般农人的嘴上还流传着种种类似神话的传说，他们讲老八路一时钻在鬼子当中冲打，一时又爬上树架起机枪射击起来。……

我们见他是为的工作问题。我们的意见是我单独留司令部，让其芳去政治部的编辑委员会，鲁艺的同学大半都在那里。他显得一付懒散神气倾听着，但还没有讲完，他便同意了，并又解释似的苦笑道：

“你看一来就碰上烂子，从天津带照相机的事也弄来搁起。这回六团打仗要是有照相机多好呀！许多情形都可以照下来。你们去问老乡吧！敌人往河间跑起来那种狼狈情形啊！大家就五零四散的乱钻！”

话头一接上曹庄的胜利，他稍稍振作起来了。他为我们转述着刚才医务主任向他做的报告。

“好勇敢呀！”他摇摇头叹息了，“发觉了毒气大家还是一样进行战斗。有的拿手巾沾了水往脸上一搭，又打！有的用尿，有的就把人血糊在脸上；喷嚏眼泪也不管。我已经叫他们做详细报告去了，材料满丰富呢。”

因为我们提起那个已经成为全军骄傲的迫击炮手，他纠正道：

“头一次很好！说打庙就打庙，说打树林就打树林，这一回要差些。”

回忆着什么似的想了一会，他静静地微笑了。

“我们的迫击炮在内战当中很显过几次灵呢。一次在应城，一师人围住我们，打了几天打不退。那个时候我正在害疟子。我带着望远镜去侦察，把于儿子叫来，给他说，你就朝那个岩堡给我打！我想这样一来，不但破片伤人，打碎了的岩石也要你够受的；没有猜到敌人的司令部就在那里！才几炮就全打崩了。”

隔室里的电话铃子嘈响起来。因为好一会没有人接话，他自己去了。我们听见他在吩咐抽一部份队伍向着安平方面警戒。随后他回来了；但却站在屋子当中，淡淡地微笑着，对了我们沉吟道：

“恐怕又要搬家了。”

并不改变姿式，他沉思着，显出一种感慨很深的表情。

“要是早来三个月就好了。他妈的这样一个水湿屋子。……”

他没有说下去；但冀中局势给他带来的苦恼却是很明白的。在河北平原抗日根据地的建立上，军区的同志无疑早已尽过他们最善的努力，然而由于当时环境的比较和平，所有的力量又几乎全部消耗在初期混乱情况的澄清上面，他们在作战上是比较差的，因此喘息未定的少部一二〇师的部队便成了眼前敌人疯狂扫荡中的主要对象：这也就是贺龙将军所担心的了。

他退到台子边去坐下，动手改削着一通秘书同志拟的电稿。后来他又在一张空纸上随意划着，终于望了我们笑道：

“你看，现在晋东南，晋察冀，冀中，黄河沿岸那里都在进攻！像专门找着八路军搅呢。……”

其芳忽然提到马匹的事。

“你牵去骑呀，”他懒懒地回答着，“骑死了又来牵呀。”

接着他又从电报的措辞上同秘书开了几句玩笑。但这一切都是很勉强的，我们再搅扰他显然是不大合适了，所以当周参谋长进来的时候我们就向他告辞出来。而在临走的时候，他却松松爽爽地笑了；用一种俏皮的口气关照我们道：

“回去就赶快睡吧！什么也不要管它！——最好以后每天下午都睡它一觉！”

一八

转移到任庄的下午，十二里外的武强县城便告失守。听见了大炮声和飞机的轰炸声。晚上曾经接到准备出发的命令，但却平平安安的过了一夜，准备出发改成准备战斗；所有的战员都领到两个手榴弹了。

早饭时候他显得有点精神不济的样子，我问起他睡眠怎样。

“打了一夜电话，”他懒懒地回答道，“也睡不着；脑子里要想事呀。”

“我也是！”甘插嘴说，“连饭也吃不得了。这样老得不到休息怎么搅呀？”

“你看老甘悲观失望了呢！——我要跟你作思想斗争！”

他打趣着他；名叫苗子的小鬼进来收碗来了。

“苗子！”他更大声地笑道，“我们跟甘主任的悲观动摇斗争好不好？”

“好呀。”

那个来自贵州的少年回答着。沉闷的空气立刻变活泼了。

“老实讲，”他接着笑说道，“一晚上就只有和五团取到联络，这件事使人高兴了一股。他们是昨天过铁道的。不过也真可恶，还是老脾气，走到半夜，总是这个说冷呀，那个说饿呀，这一下天不管，地不管，大家停下来休息，烧水，煮饭。——敌人就隔他们五六里远宿营呢！”

甘嗤地一声笑了：

“卵弹琴！”

跟即他们就谈论到敌情，部队的布置等等；但大都含糊其辞。我退出去了。到家不久我就听到了炮声。起初很隐，约一点钟后便逐渐清晰起来，连机枪声也听见了。敌机在附近的村庄上盘旋着，投掷着炸弹。第三次空袭后我回到司令部去，没有见着他。空气平静而且严肃。有特务员在屋顶上瞭望。战士们已经笑嘻嘻地在村口做着工事了。

我在街上碰着了我的马兵，他是替我牵马来的。这是一个健谈家，长征英雄，而且和八路军当中一般马夫相似，他们是极端忠实的，但对学习却冷淡到顽固的地步。在谈到空袭的时候，他扔掉烟蒂，十分骄傲的告诉我道：

“那胡子他倒不怕啊！长征的时候，你问看，一天飞机要来炸多少次？那个怕它？还不是走我们的。有一次恰合适一个炸弹落在他当门，他手这样一揎就把它揎到河里去了！”

“嗨！那个骗你么？！我们都跟到他后面在呢，我亲眼看见的，——他手这样一揎！……”

胡子是贺龙将军在一般干部口中的代名。我没有再和马兵分辩，但我的不安已经被另一种感情替代了。我觉得我看见了农民和农民当中那种极可宝贵的单纯的信心，也看到了贺龙将军在群众那面的力量以及那照耀在他们面前的他性格上的特点……

午餐时候我们和他照旧一道在大炮声中用饭。惠伯口后便和我们一道转移着的吕司令也来了。当日上午遭到袭击的就是第三纵队的一部份和津南自卫军。吕说当敌人离他们很近的时候，他曾经下令至少要支持两个钟头，好在逐渐转移方向，望南败退了。

他倾听着，十分审慎地插嘴道：

“那来不得呢，——司令部那都打得？”

接着他又叙述了一段他前期军官生活中的插话。

“就在成都东门外牛市口，”他望了我说，“还是大年初一呢。我和汤子模两个正在吃饭，等前线的报告。我把碗这么端起，嗨，糊里糊涂 Pa 地一枪，把碗都给我打破了。”

随后吕谈到敌情：他们捉住一个俘虏，才十七岁，东大一期生，新入伍的。同时被征调来的同级生还不少，都不愿意打仗。这是敌军官知道的，所以他们只好利用大量的火力来补救这种缺陷。

他的结论是：敌方的人力缺乏得很。

“不但人力缺乏，”而贺龙将军接着道，“他什么东西也缺乏了。枪也用中国枪了，中国马他也骑。在山西的敌人还吃小米小麦。”

他似乎已经说完了，却又正色道：

“老甘！老实讲，我们的敌军工作还要好生干一下才成呢！他们冀南作得顶好，那些东西都是他们寄来的，宣言哟，标语哟，多得很！”

他咬向着嘴唇叹息他一声：

“可惜我们懂得日文的太少了。”

有谁提到津南自卫军的情形，以及他们的士气，他主张应该尽力帮助他们，并且多作政治上的鼓动工作。而半途来的L同志——一个冀中政治方面的重要干部，闷声闷气地插言道：

“刚才小安还向他们宣传了一阵。”

“那小安还不错呀！”

这时大家已经吃完了饭，他半玩笑似的说了。

“我很喜欢小安。”他坐近安的丈夫L去，“就因为她小得好。”

“小得来随便那里都可以带起走。”吕唱合着。

“是呀，”他已经亲切地握着L的肩头了，“就是放在荷包里也成！”

大炮声依旧繁密。

一九

下午四点钟左右，配备着战车和坦克的敌人终于溃败了。战事的重心是在大小黄龙。当津南自卫军，一个地方性的游击队，撤退的时候情势是相当严重的，把这种颓势挽回转来的是五团之一部的猛烈袭击。他们从侧后方出其不意地牵掣了敌人，打击了敌人，而且从护驾池村把敌人驱逐到沧石路以南的地区去了。

我到司令部的时候贺龙将军正好和二三十个干部讲完话。他们是被分派出去工作的。自从来到冀中以后，虽然局面是极紧张的，但经常都有大批干部分派出去，为了应付友军的请求，或者去散播游击战争的种子。他躺在一张长凳上，吸着烟斗，一望见我就用叹息一般的口气说道：

“敌人大约又去照顾瞎子去了，（这是他对刘伯承将军的亲昵称呼）部队并不小呢。”

我对津南自卫军说了几句不敬的话。虽然仅仅在三个月以后，由于一二〇师的调整，这个部队在岔头镇的战斗当中变成了名符其实的八路军的部队。它的负责人抗战前是在北平作戏剧运动的，小小的个子，只有二十来岁。我说：

“真糟糕！怎么听说连司令部也打得不见了呢？”

“是呀，”他发愁地承认着，“不过它才成立好久呢？你想，根本就还没有作过战。坏处是我们来得太偬促了，还没有建立起整个作战计划。像这样大一个队伍，东打一下，西打一下，都要得么？我们已经搅了一个交到总部去了。”

他认为目前较重要的工作是培植地方干部。

“培植地方干部顶要紧！”他加重地说，“因为他什么风习人情都比外省人清楚。你看陕北吧，现在出来好多的人才！看样子都是土包子，文化水准很低，就像你刚才看见的那些样；作起事来满有用处呢。”

我插嘴说一个人的经验在行动上比书本子重要，他立刻赞同了。

"就拿我自己来说吧！"他兴奋地站起来，"又懂得些什么！五岁就念起书，念到他妈十岁还连一本人之初都没念完；结果打了老师一顿，再也不上学了！——还不是大部份依靠自己的经验？！"

一个抗联会的同志碰进来问五团和六团住在什么地方，是运了三百多斤猪肉来慰劳我们的。他把他留下来，吩咐秘书去找领路的人，而出其不意地，他忽然用一种老老实实的商量口气要那来客为他留下一份猪肉。

"不要多，"他微笑继续道，"几斤就够了，——我们也是前方将士呢。"

客人走后我们又从冀中新的作战计划谈到一般的战略问题。他认为战略错误可能发生于两种情况，第一，是由于把战略搁在个人的意志之下，其次，是因为战略所由出的政略错误的缘故。他举着例说：

"比如，我们既然认清了中国国家的性质，现状，中日的关系，我们就规定我们的战略是持久战，在战术上是运动战和游击战。你怕毛主席当真是孔明么？政略一清楚，战略自然就正确了。"

同坐的一个青年同志误会了他的意思，作了一个不大正确的推论，他立刻纠正他道：

“那，我们要是在上海打又有他的打法哟！上海有那样多的工人群众，还不好搅！？”

我趁兴说了一两件沪战时的往事，他接着叹息了：

“这就是矛盾的地方呀！……”

周参谋长忽然揿着烟斗出现在房门口。这是一个长而结实的海南人，生着一付一目了然的坦白沉毅的面孔，平常不大喜欢说话。他的出现照例是来商量事情的，贺龙将军随即同他出去了。好一会我们才听见他同另外一个人从正房里走出来，一面谈着话。那位同志似乎不乐意调动他的人到别部份去，或者是担心人太少，要是碰见敌人怎么办呢？

到了最后，我听见贺龙将军毫不在意地嚷道：

“有一班人就可以打吗，——怕条卵哟！”

直到晚饭时候他才回来。吃着，他一面同周谈论到战士们每月仅有的一元津贴，他们的生活和给养。因为觉得目前还是可能随时遭遇战斗的环境，应该经常准备现成的吃食，小米饭，红薯，都成。饭后他们又谈到当夜移动的时间问题。

本来已经决定在七点钟出发了，他又忽然转变了念头，沉吟道：

“同志！我们睡一觉再走好吧？”

“好呀。”周简洁地回答着。

“大家好几夜都没有睡了。”

“就是不走也不要紧。”

“那就这样办吧！——快去快去！”

他随即用一种孩子气的欢喜嚷着，笑着，催促着周立刻去下命令。

二〇

向着留楚镇进发的时候，已是半夜过三点钟了，天很黑，气候冷得可以，一个不大佳妙的严寒的冬夜。最初我们只好步行，在积雪映照中摸索着走，但上马不久，我们却又把道路迷失了。

我们在黄甫村村口停下来。所有的人都立刻去村里找向导，留在外面的只有一个政治部的特务员，我同贺龙将军自己。他拥着大氅坐在麦场边的石滚子上面，默默地抽起烟来。从烟斗的火光中，我看出他的表情是平静而和善的。马在啃嚼着凝集着浓霜的枯草。村内传出的狗嗥仿佛来自辽远的地方。贺龙将军忽然同特务员谈起家常来了。

那个同志大约是新从部队里来的，一个经过长征的年青干部。他那新离开的首长是一个政治委员，贺龙将军问起他的日常生活，他有几条驳壳枪，几支别的手枪，几匹牲口，琐琐碎碎，仿佛一个和善有趣的老年人似的。我猜想那青年人一定向谁夸过口，恰恰被他听见了，所以特别要想再听听他那种负气的口吻。

他问得顶详细的是牲口，但对方却是不大起劲地回答他道：

“他一共只有四匹马。”

“都很好吗？”

“有一匹粟色马不错。”

“赶得上我们通信兵骑的么？”

两个人都忍不住悄声笑了。

“老实告诉我吧！”他又正经地继续道，“究竟是怎么样个好法？”

“好就是了吗。”

“你要说出它的好处在那里呀。”

沉默一会，那青年人才迟迟疑疑，但又似乎十分自信地答道：

“什么好马你看毛子也看得出来的，很顺……”

“真了不得！张桂生已经学会认马了呀。”

他轻笑着切断他，从石滚子上站起来了。而我自己则感到一种听完一首朴素的牧歌般的喜悦……

向导找来了。我们大家于是又重新各自牵了马上路。那乡下人手里提着一架马灯，他和他并排的走在前面。他已经不像走前一段路时的沉默了，一直同向导闲谈着，问着庄稼以及那乡下人的家庭状况，仿佛户口调查一样。

而在知道了对方已经接过老婆之后，他忽然对向导抱歉道：

“那就太对不住人了，同志！我们把你从热烘烘的被窝里拖出来。”

听他的打趣，竟连那乡下人自己也忍不住笑出声气来了。接着他们的谈话更加亲切起来。他那种容易叫人和他接近的魔力是我从来没见过的。直到我们已经跨上马，在大道上跑过一段路的时候，那老乡远提了灯站在原处，在那分手的地方，望着我们大声地报着方向。这使我们这一小队骑者愉快而活泼的了。

我们奔驰着，一面随意谈说起我们的向导和一般河北的老乡。有谁叹息着讲了一段新闻，说上前天敌人逼近饶阳的时候，一个动员，老百姓便立刻实行坚壁清舍，一齐向城外逃。但由于指导人的疏忽，许多人在空袭下牺牲了。

“这简直是卵弹琴啊！”贺龙将军接着愤怒地嚷叫起来，“坚壁清舍，就该先对老百姓讲坚壁清舍的办法，怎么由随老百姓胡碰呀！老甘！怕要对他们抗联详细谈谈才对呢！”

我忽然发觉我的挂包丢了。我拨转马头去找；而当转来赶上队子的时候，我听见了他正在愉快地叫道：

“只要钳制部队发生作用就对了！老子朝东可以打，朝西可以打！……”

因为括起风来，马又落了后，我只能听到一些不相联属的断句了。

二一

我到宿营地的时候已经是大天白日，刚才躺下疲劳的身体，他又叫小鬼把我和年青的秘书找去了。是在参谋长屋里，炕上摊开着地图。他们正在端详着，指示着昨天作战的部位。上面已经打满了红蓝铅笔的记号。

他是要我们去吃烧饼的，但自己却不吃。周哈欠着笑说道：

“现在就只想睡觉。”

“你还睡了一觉呀，同志！我就跟村公所那个小鬼扯到天亮起。”

但他的脸上毫无倦容，平静而愉快，倒恰像舒舒服服睡了一觉刚才醒来不久的一样。一个干部队的同志走进来向他作报告。而在那青年人退出去以后，他很怀念地谈起从前一个姓罗的干部队队长。他对了一张镜屏照着，一面说道：

“随便带几个人他就敢往都市上搅，”他仔细地重新戴着帽子，“有一次连第一纱厂的厂长也叫他拖走了。这还不说，走的时候拿他妈这样大一杆旗子在屋顶上插起。插了两天。兵工厂的屋顶上也插过。”

他忍俊不禁似的笑了，但却依旧对着镜子，同时耐心地移动着军帽，极想戴得合适一点。仿佛他就要出去接待什么贵宾一样。

“勇敢得很！”他一面平静地继续说，“听到那里要作战呀，不管有没有他，自己听到一溜就去了。他还攻下过一次黄石港呢。那时候我们有两支军舰，一支叫列宁号，还开去打过新堤。就是长江里面那种大铁壳船呀！走得很快，上面可以架机关枪，迫击炮……”

周睐着干枯的眼睛插断他道：“唉，怎么样呀？”

“我们就开始谈呀。”

他随便地回答说，并没有即刻把他那喜孜孜的笑脸离开镜屏。我们于是退出去了。

刚好睡了一觉，他又叫苗子把我们找了去。一个抗战学院的政治教官在他屋里闲谈。黑胖胖的，扬州人，说话很随便。但贺龙将军几乎是沉默的，倒是平日不大言语的周成了客人的对手。他仅仅在感到有趣的时候笑笑。

话题是恋爱，老婆，以及属于所谓韵事之类的笑话。但他也终于开了点玩笑：

“我现在也没有老婆。有过两个已经不是我的了。”

“真的么？”扬州人问。

“当然是真的，我们分离得太久了，一九二八就分开的。和我一个兄弟一同关在上海。兄弟牢死了，她两个前年才放出来。”

“现在在什么地方呢？”

“在娘家，——我自己家里连一块瓦片都没有了。”

他的态度忽然认真起来，好像十分感慨似的，虽然他的表面依旧显得愉快。看见大家都不大讲话，于是他又平静地继续道：

“去年我给她们写信说，在政治上，经济上我都尽量帮助你们，——你们自己去找人吧！找那个年青的，漂亮的，革命的……”

“是不是呀，”周出其不意的插嘴道，“他现在真的没有老婆呢！”

于是屋子里的空气又立刻为打趣所独占了。

客人辞走后他约我们到冀中区的抗战建国联合会去。那里的负责人叫史立德，一个高长长的年轻人，抗战前是在北平作学生运动的。自从惠伯口以后，他便跟着我们一道打游击了。我们进屋子的时候他还在炕上躺着，一身精光，因此他一面坐将起来，一面不好意思地笑道：“你看我太平观念好深呀！”

“没关系！”贺龙将军插断他，“跟着我们一道你再脱光些也不要紧，这点险敢保！”

“也正因为和你们一道才敢这样呢。你问看，一年多来的第一次！”

随后他们谈到史的那匹小红马来了。这可以说是贺龙将军访问的目的的全部，因为根据一个同志的转述，史曾经夸口他的马是冀中第一，于是引起这个马匹爱好者的兴趣来了。他用一种行家的口气探问道：

“跑得怎样？”

“还快。不过你不要听他们瞎吹吧！”

“跑的是野鸡柳子吗，蝉头？”

史莫名其妙！于是他又用手势响声和区别着马的种种步法，并且一直说了下去。

“我生平就爱马！经过的好马也不少。我还经过一匹宝马呢。头只有拳头这样大，颈项巴掌宽一点子，绵羊那样大小，后腿子要长这么多！由安顺到贵阳有四百里，可以一早赶起去吃早饭。它的特点那才叫奇怪，随便你好多草呀，料呀都喂不饱它：一面吃一面拉，肚子里结了胆了。”

因为看见我们只有惊喜，一句嘴也不能插，他又为我描绘了一匹叫做火焰骠的红马。而在末了，他忽然望着门外嚷道：

“张娃儿！你去把那匹小黄马牵来骑起给史主任看！”

我们一同到村外去了。

然而小黄马的表演，并没有叫大家怎样满意。他自己也老是摇着头，惋惜着张和那匹较小的畜牲的错误：又颠了！或者：他压不住！最后是：一定叫马兵骑坏了！于是脱掉大衣，他亲自骑上它在平野上驰骋起来。

二二

我们又移到饶阳，肃宁间的东湾里村来了。司令部提出来的口号是争取两个礼拜的休息。然而事实上，贺龙将军却变来比较以前更为忙碌，有时整天见不着他的影子。他是开始执行八路军冀中总指挥的职务了。他得协同着吕正操司令进行整顿部队的工作，而且布置直属一二〇师的游击支队和工作团，让他们去牵住敌人崛强的四肢。而在那一段超出预期一倍以上的时日中，那个小而整洁的村落，几乎变成一个小小的太平世界了。

初到的一天，我们正在一道吃午饭，一个混身穿戴得臃肿不堪的干部，由特务员搀扶着进来了，这是一个连级干部，才被分派工作不久，现在是因病回来的。那是一支刚才成立的游击部队，地区是在安国，无极一带。

他叫苗子给他盛好饭，一面倾听着那年轻人的诉苦，终于取笑他道：

“该不是大炮吓病了的吧？”

“吓病了的！”对方气愤愤地叫嚷了。

“不是我不相信，”但贺龙将军故意揶揄他，“一定是怕死装病的！”

“怕死我又不到这里来了哟！”

“还要强嘴呢！好意思要人扶。我前向不是一样吃不下去饭么？我还是照样做事。我比你的岁数大一倍呀！”

他笑嘻嘻地逼视着他；病人沉默了。并且嘟着嘴吃起饭来。但不一会，却又一面诉说着他对于部队的不满：长官不能调动，经常有一半人请假，而且敌人一冲，便都立刻换上便衣回家去了。

“麻烦问题多得很，”那青年干部恨恨地说，“真讨厌透了！”

“要是没有问题你去做什么呢？”他反问着他，“你给我少讲点，赶快养好病再去吧！”

病人走后他约我上外面去逛。几乎全个村子都走遍了。他的态度是潇洒而愉快的，见着村人总要扯谈几句，仿佛他是出来调查风土人情的一样。随后又去看了延安新来的抗大同学。一共有六七十个人，有些是部队里申送去的干部，小部份是外来的学生。凡是干部他差不多全都能够叫出他们的名姓。

在一间黑洞洞的房门口，他问一个小个子的年轻人道：

“搅了这么几个月，该学到好东西了呀？”

“学到了一点。”

“意识锻炼得怎样了呢？还记得吧！叫你放哨呢，你躺在老百姓家里睡觉。再这样谨防我捶你屁股哟，——啊！”

这屋里的十多个人当中有两个是他外甥，可惜知道的时候我们已经走出来了。一个是他大姐贺英的，一个是他么妹贺满姑的。关于后者他答复我的追问道：

“她娘捉去杀了的时候，他才这样高点。老子也跟着我牺牲了，就剩这一个仔。”

他的声调很平静，他的表情给黄昏掩盖了。但不管怎样，当我们到了那间挤满着廿多个青年学生的窑洞里的时候，他的兴致依旧是很好的。他一个个问明他们的姓氏，籍贯，而在末尾，总又照例加上一个使人发笑的谚语。

“啊，是个河南侉子！”或者：“那么又是一个山药蛋了。”

他仔细地端详着那位广东同志：

“你们广东人总是这样小个子，瘦瘦的：一眼就看出来了。广东女人很漂亮呢，是不是？眉毛弯弯的，长长的，颧骨这么高起来一点，——很好看。”

河南侉子笑得打噎了。

其余的人也都忍不住笑将起来。这时候屋子里已经全为昏暗所占领了。风从破烂的窗门里吹进来，夹带着溶雪的寒气。然而毫无疑问，我们在精神上都是光亮而愉快的，贺龙将军亲切活泼的谈吐，已经把暗夜和寒冻赶走掉了。

最后问到的是一个归绥城里的青年，大大的个子，他那阔而甜润的声调带着一种草原意味。

“同志！”这一回问询者多少带点感情，接着说了，“想打回老家去，恐怕要多努一把力才成呢。我们一连去打过两回，都没有拿下来。好在根根是给他栽在那里了。”

吸吸烟斗，于是他详细叙述了一通八路军在绥远的分布情形：一路已经和外蒙仅隔百里，到达了托克托，一路接到了热河的商都，而当时正在百灵庙附近作战。并且除了城市，广大的乡村已经变成抗战的军事地区。

“现在绥远的毛病并不在少数民族问题，”他继续道，“回民很好，蒙古人也只有一个德王，只要大家再团结一点，就好搅了。”

随后他又用一种略带憎恨的口气谈到了绥远一般的风习。

“随便那里都有抽大烟的！”他板起面孔说，“有客人来不请他吃大烟他会忧气。而且土匪如毛！那不晓得有好多强盗啊！一般老百姓都喜欢枪，就和四川人差不多，一见了枪就笑得跟熊一样！”

说到四川人的时候，他笑着用右手拐指点了我一下，并且随即离开那只他一直依靠着的立柜，准备走了。而在临走之前，他又像一个长辈一样关切着他们的生活，叫他们开一张详细单子，看是需要些什么补充。随后又顺便到副官处去了一趟，叫把他们的菜金暂时由六分加到一角，优待一下，好让他们滋补滋补。

二三

整整有两天我们没有看见他。晚上九点钟，秘书在收音，我已经睡下，他含着烟斗走进我们的屋子里来了。我坐了起来。他顺手用电筒照了照我的铺位，皱着眉头问我，为什么没有褥子呢？我支吾着回答他这样就好。

“那怎么成！”他把电筒抛在炕上，一面向对面大柜边的长凳子坐下去了，“让我想法子弄一床来吧。这要不得呢！——”

为要改变话题，我问他前天他给我看的一份奇妙的报告是怎么来的。那份报告的确很别致，是写在一帖小而粗劣的账折上的，字迹粗拙，用野话攻击着军区独立第二支队的一个营长的恶行。账折的头尾两面还各画着一幅同样粗拙的漫画，一个赤条条的人反缚了手跪着，等待着砍头：这大约便是那营长了。

我静静地等待着满意而详细的答复,但不愿意似的,他含糊地回答我道:

“是一个战士送来的。”

他随即充满忧思地凝望着我。眨了一会皱纹围绕的眼睛，摇摇头叹息了。

“这是他娘的什么队伍啊！伪军也有，土匪也有，两千多人就有四五百个老婆。行起军来大车一长串，单是家眷就要住一个村子。还有一两部份也差不多。同志！你说这样的队伍怎么打呢？”

他显得忧郁而困顿,无可奈何似的笑了。但是一会,却又稍感愉快地笑道:

“自然，好的究竟要多些。也都打得几下。因为大部份武装差不多全是由地方党发动起来的,有政治保障。朱占奎那一分区有几个大队就很不错，可以算是冀中顶打得的，东边紧他打东边，西边紧打西边。不过还有很多游击气息，不大好，——”

他沉思着，随又带着宽容的口气加上一句：

“这也难怪，他的党龄才好长呢。”

他十分爱抚地瞥我一眼，于是专心专意用火柴棍拨弄烟斗里的灰烬去了。他连着这样做了好几次，拨松过后又重新折裂一片火柴匣，在洋烛上点燃，吸燃它。而在这中间，他懒懒地诉说着目前冀中的局势，说敌人扫荡的初步计划，已经近于完成了。他叹息道："要是早来两个月呀！——"

这时我忍不住表示了我对于若干部队的怀疑，以为他们有点避免残酷的战争。

"那你又看错了！"他重重地摇着头，"实际上每个分区天天都在打呀。毛病是在没有整个作战计划：营要依靠大队，大队要依靠支队，大家挤住一团！不要说平坝子里，就是山地作战你也要有些队伍去牵掣敌人，迷惑敌人，主力部队才好搅呢。现在你看连身都转不过来，打起仗就和正规军作战一样：那里是什么游击战呢！"

他恨恨地细着眼睛，额角上的皱纹增多起来，但随又获得了自信似的笑了。

"这两天大家商量了一下，"他沉着地加添道，"好几个大队都摆出去了。"

于是他开始把双腿架在炕沿上，用大衣的衣袖盖好，静静地抽起烟来，从他的神气上看来显得是很满足的，而一刻钟前出现在脸上的忧思和不快就像他那柚木烟斗里的烟云一样，一忽已经消逝尽了。

为要打开深夜的沉寂，停了一会，我问起他对于目前大局的观感。他告诉我们，敌人已经在准备进攻大西北了。平绥、平汉和同蒲路正在加紧运兵。一个目的是郑州，一个是西安，另一个是延安。而华北平原的扫荡恰正是敌人的准备工作之一。强盗们的这样做，是因为华南、华中没有前进的可能了，而那些地区里的湖沼山地已经变成了敌人机械部队的坟墓，至少不是眠床。

此外还有一个贺龙将军认为极端重大的理由：

“那里的民众更够他搅，”他接着说，已经兴奋起来了，“都是有斗争经验的！比如广东、闽西南、闽北，江西更不用说，大部份地方原早全是进步区域；另外像湘鄂边、鄂北、鄂西、湘西南，还有豫鄂皖，我们都搅过，只要碰一碰他就尝到辣椒了。就单拿地势上来说，你看一个白乐矶他打了好久呀？”

他又详细地为我们描绘了一番白乐矶的地形，打着手势，而他得意地笑了。

“同志！那里原早就是我们的海关呢。水浅的时候，你看轮船这样一湾，那样一湾，总要经过那里才通得过。每个月可以收十几万元的税。那个时候我们就拿百多支土炮在那里架起；子弹这么大，一齐放起来满厉害，烟筒一碰上就打烂了。有个时期我们搅得他断航了四个月！”

他大大地做了一个手势，笑了，但随又回转到本题上来，以一种比较平静但却充满自信的语气说道：

“不过据我个人的意见，他要搅西北也是很困难的。晋东南他拿来怎么办？还有晋察冀、晋西北；还有那么大一块陕甘宁边区？不把这几块地方收拾干净他是不敢西进的。可是这几块橡皮糖也就够他粘了。”

那个收音员忽然问起他敌人企图进攻延安的目的。

“这还不明白？他想在政治上打击共产党，把它中央所在地搅掉。但是毫没用处，——共产党是在大山里住惯了的。”

他随随便便地回答着；一面拿起电筒，准备走了。但他又走近那只早经关闭了的收音机面前去，把电门打开，希望听听中央电台的广播。然而这是一桩不好受的事，那时常听到的几乎全是一片因为敌人搅扰而来的使人头痛的杂音。

这晚上是恰恰碰上了，他摇摇头苦笑道：

“真太可怜了。”

于是立刻关上它，走了出去。

二四

一天早饭过后，他开始在火盆边慢条斯理地换着衣服。屋子里只有我同那秘书两个人。这是一个相当天真的年轻人，熬不惯沉默的；他先是吃吃地笑着，后来终于孩子气地扯起乱谈来了。他亟于要表白出来的是关于一个新从延安学习回来的断臂团长参加大小黄龙战斗时的勇敢行为。

他模仿着那位勇士的随便的神情，而且真像面前有架坦克一样，骂道："入他妈哟！"同时左手做了一个向下抛掷手榴弹的动作……

这时贺龙将军也忍不住笑将起来。他已经穿好衣服，正在扣上身的纽扣。

"这不算，"他就敞开着上衣笑说了，"你还没有看见他当红四师师长时候的情形呢。那他叫勇敢！一次在鄂西作战，敌人一师人追我们，他一个人带一班人断后；就蹲在山口上，面前摆他这么一堆手榴弹！”

他比比手势，依旧扣他的纽扣去了。而在一切都弄妥帖之后，他又重新夸奖着他，承认他是一个好的干部。

“这简单得很，”他着力地说，“是不是好干部你要在最坚苦最危险的时候去看他。好的他一定坚决，一定也不悲观动摇。而贺炳元这个家伙就越打越硬，就是在极困难的时候他也拿得出劲来！”

为了要使他的意见在人的头脑里立得住脚，他是颇喜欢举例子的。他接着叙述了一段大小洪山的故事。那个时候他们刚才从洪湖拖出来，非常疲惫，但追击的敌人却又并不想到他们的休息。并且要停下来反击也有问题，他们还没有弄清敌人的番号。于是他把俘掳的任务摆在他的面前，限他一天办到，而他真地就办到了。

“你不要看他一只手吧，”他又得意地补足道，“就是现在打起架来，你两个人也打不过他呢。”

因为我们好奇的追问他，更用一种抑扬有致的愉快调子叙述了一通他的身世。湖北松滋人，就长江边上住家。只有一个父亲。自己原是在一家铁匠铺当学徒的，然而因为松滋附近便是苏区，这个小铁匠忽然愿意替红军喂马了。

“可是喂了几天，”贺龙将军微笑着，“大家嫌他太小了，都不要，还哭了他妈一场。我恰恰去碰见，就说，好好好，把他拨到宣传部去提浆糊桶子吧。那时候才十四五岁，又不肯长，这么点高，不搭板凳就会把标语贴歪！后来老头子又跑起来找他，也加入队伍了。”

正说得上劲，那个被他描写的对象，忽然走进来了。矮而粗大，黑眼仁相当小，炯炯地射着闪光。一眼便可以看出是个心直口快的人。穿着整饰就是搬来搁在一个好人身上也毫无愧色的。他把右臂的空袖筒那么服服帖帖地塞在荷包里面，暴看起来你会以为他不过是在努力搜取东西，或者不过是一种习惯了的姿式而已。

一看见他我们就更加忍不住笑将起来。而且仿佛做戏一样，秘书一面又把那抛掷炸弹的精彩动作表演了一番，这引得他难为情的笑了。

但是因为某种缘故，我请他告诉我延安的轰炸情形。他简略地说了几句，而接着，却自动搬出来另一处一大堆不愉快的事件，许多坏蛋的威吓老百姓抬高物价等等。

其间一个小鬼拿着一卷电报走进来了。

这样的电报几乎是每天总有一次的，报告着晋西北以至大青山一带的战斗情形。但贺龙将军并不立刻看它，他依旧倾听着断臂团长的宏亮的谈吐；而且一直带着那种愉快神情，仿佛是在倾听一个亲骨肉谈说自己的冒险经历一样。简直到那位健谈者因为觉得不适合而微笑着停歇下来的时候，他才遂分看了下去。他盘着一条腿坐在炕沿上，右手撑在炕上，支持着他那略微倾斜的身体。

他有时皱皱眉毛，摇摇头，或者长长地松一口气；而在看到最末一份电报的时候，他忽然轻声地朗诵起来了：

“白汝伦现已到达包头西乌拉山一带，并已在离包头五十里之地，结合人枪百余。不久可能增至二百以上……”

他读着，眼角的笑纹逐渐扩展开来，终至于笑出声气来了。他坐直他那充满精力的魁梧的身体，右手臂连连敲击着电报，一面绕视着我们大感兴会地笑道：

“你们看顽固派有什么办法呀！……”

他是笑得那样酣畅，至于呛咳起来了。停停，他又夹着笑声继续说了下去：

“还是他妈个一条腿！他一出去就会搅出一个队伍来；而且在包头附近！太有趣了，正在谈顽固派！”

仿佛才从繁重的苦工下面解放出来的一样，他十分舒畅地缓了一口气，重新阅展起来；但却从未停止过他那种显然是被抑止着的无声的哑笑。而这种笑，似乎只有那些饱尝过世途的甘苦，而又具有坦白胸怀的人才会有的。他是笑得那么纯真而又深彻。

当到全部看完以后，他更显出一种沉迷在美丽幻想里的表情，微仰着头，深思地眨着眼睛；然后自语似的笑道：

“这个白跛子真太有意思了！……正在谈顽固派！……”

周不声不响地出现在房门口。他并不进来；他告诉他侦查连在河间的工作已经弄完结了。

“那你叫他们去摸呀。”

“让别部份也派点人吗？”

“还是自己单独搅吧，免得拖泥带水的。”

他的声调很轻松，而且一直感觉有趣似的笑着。

二五

我们一同到于庄的抗联会去，因为这里的大道也同冀中其他地区的一样，通是给老百姓挖毁了的，全部都成了半人深的沟道，我们只能在沟道边的小路上走。这是相当吃力的，随时还得屈一下身子迈过那些偶尔拦着去路的枣树的枝条。我们大家都以一种敏捷的动作走着，不时又跨过沟那面去了。

天空高朗，耳畔隐隐传来着大炮的声音。过平汉路后这便已经成了家常便饭了，最近四面的战斗又都进行得很好，所以我们毫不把它搁在心上。快到村子的时候一个老乡跟着一架牛车正从前面赶将过了。里面装着一个友军的战士，一架自行车，此外便再也没有旁的值得用牛车运送的东西了。

贺龙将军老远就停止下来。他发愁地审视着那牛车；

当到了近旁的时候，他柔声地问道：

“同志！你有自行车，为什么还坐老百姓的牛车呢？”

“前边的河解冻了。”战士嗫嚅着回答。

“啊！”他沉吟着瞟了一眼那条几丈以外的明晃晃的溪流，“那么过了河呢？”

“过去了我就下来。”

但他并不放心，走着，一面还几次地回转头去张望；而当我们到达目的地的时候，牛车果然赶转来了。

高长长的史立德先生照例用他那种河北人的爽直欢迎了我们。而且和在别处一样，所有的工作人员都立刻塞满了那间狭长的屋子。这些青年男女全是抗战后从北平来的，有的穿着军服，有的则依旧保持着刚从敌区工作回来的乔装，和尚头，老蓝布的棉短褂，一个地道的老乡模样。他们全都浮着近乎狂喜的笑容让史把他们介绍给贺龙将军。

而接着，一种愉快活泼的谈话开始进行了。他一个个简单的问着他们的经历，端详一会，于是闪烁着他那富于表情的灵活生动的眼睛，来一两句有趣的考语。其次的话题是前一夜东北救亡总会华北战地服务团的晚会节目。

他不大满意他们的“沈阳花鼓”。

“内容是不错，就叫两个女角弄坏了！打扮得他妈红红绿绿的，东一扭，西一扭，——什么政治意义也扭完了！”

好像大家的发笑是不相信的表示似的，他又举例道：

“你们想想我们警卫连那些兵吧！先都是这么懒妥妥的，”他做出一种萎靡神情，“像就要打瞌睡了，沈阳花鼓一登场，大家的精神都马上振作了，——都振作在那两个女的身上去了！无论如何这在目前是很有害的！”

停停，他又严正而忧虑地环视我们，添加上一句：

“你不要说，同志！这是一个值得考虑的大问题呢。”

在批评一心堂的时候，他的意见也是相当正确的。

“这个戏搬到河南去更好，那里有很多红枪会，而日本人也正在想尽方法利用。不过那个演大将军的还没有把身份性情拿稳，太精明了；还要庸一点。那样精明的人他会随便受人摆布么？——简直不像！”

一个同志忽然嗫嚅地担心着民主共和国的前途，他率然地截断他道：

“一定是民主共和国！同志！你难道还怀疑吗？”

“那不知道还要多少时候啊。”

“不多！五年就够了！”

大家都忍不住笑将起来。

“你看啦，”但他认真地继续道，“怎么五年不成呢，你一面抗战一面就在建国呀！同志！不要说远了，现在的冀察晋不就是民主共和国的基础吗？县长民选，村长民选，民众全都有了组织，——这不是民主共和国的基础吗？”

在他热烈的声调里响着一种虔诚的信心，对方难为情地笑了。也许就因为这点原因，想了一会，他又柔声地转圜道：

“你不要说，同志！抗战对中国的进步真大呢。不要说旁的，要不是抗战，你就再搅他十年八年，也不会弄到一个县长才拿他五块钱一月的！你看这个进步多大？算得清吗？”

他自信地点着头，特别爱抚地凝视着那个感觉不安的青年一会。

“你们还没有见过满清时候的县长，”他用回忆的调子继续说了下去，“出街的时候那威风哟，前头两根长号，戴尖帽子的皂班，又是堂勇！不准老百姓包白帕子，大家都得站起来，——你看现在的县长像啥样子吧！”

他指着那个曾任县长的青年部长，仰了身子笑将起来：

“就是这样一身！灰布帽子，灰布衣服，一钻到那里去老百姓那里能够认出他是县长？……”

便是那个对国家前途不大信任的青年也毫无忌惮地笑了。

“你就再拿我们的史主任来说，不抗战他会钻到这里来吗？还不是依旧在北平讲恋爱，兜汽车，吃大菜！还有我们的文学家，在上海他至少有一套干干净净的洋服么？——现在你们看他身上有多少虱子吧！”

他笑着指点出我，而当大家大笑起来的时候，他的态度却又立刻变严重了，补足道：

“同志！要多往进步方面看看，我们才能够对抗战有信心呢。”

因为热烈的邀请，他随后又为他们讲了一些内战时期的故事。讲了战士们的勇敢难苦以及赤卫队的种种笑话：他们错把凡士林当糖吃，拿钟表检顶大顶重的拿，而在夺获罐头的时候，总是用矛子穿个洞，喝完水就扔掉了。……

他给了他们以巨大的满足，一共谈了一个多钟头。最后，他拖住一个十二三岁，生得皎好聪明的女小鬼，问谈着她的身世，要她承认他做她的爸爸。他为这件事花费了很长的时间。他柔声道：

"那么写张字约暂时叫做爸爸，好吧？"

"不！"

"还是不！那我就让一点，做干女儿好吧？"

我约那个曾经在天津做过乞丐的农会主任谈话去了；而在我们转来的时候，他终于已经达到一个最低限度的要求，并且还把她彩云名字改成了吉长。

他把双手搁在她肩头上，俯视着她，轻声道：

"晓得么，你还有个妹妹叫吉生，才这么长一点子就跟着我过草地。"

"现在在延安吗？"一个同志紧接着问。

"还有个铲铲，已经死了。"

二六

几乎有两天时间，他忽然变得来困顿而沉默，和平日完全不相同了。

这天吃早饭的时候他更加显出一种充分疲惫和心不在焉的神气。他的一切举动都是很懒散的，吃一两口便又把筷子拄在碗里沉思起来，仿佛他是在尽着无聊的义务一样。他那颇大的食量也减了很多，才吃了半碗，便退回屋子里去了。

随后我走进房门口去，希望能够同他谈谈，让他振作起来。他轻声地苦笑道：

“你进来坐呀。”

我带点拘束地走进去了。但我为一种深重的沉默压着，再也找不出一句话来，仿佛断了舌头一样。这种尴尬情形可以说是我们几个月来仅有的一次。

我们彼此都浸没在沉默里面。他是架了腿坐在一张矮椅子上的，面对了可以看见天空云影的敞开着的窗户。双手兜住后脑，眼睛眨着，闪着忧愁的柔和的光芒。这样的时间延长了很久；最后，咬了咬苦思着的嘴唇，他忽然正对着我看望了。

他把双手搁下在膝头上面，吁了口气，问我道：

“你看过伤兵开刀么？”

“卫生处搬来了吗？”

“就在副官处团转，——应该去看看呢。”

他站起来，眏了一会依旧沉思着的眼睛，不声不响地走出去了。

于是我立刻跑到副官处去。最近我们的周围都在不断地进行着战斗，这是我知道的，但还不清楚卫生机关在东湾里村；我们的生活几乎是被当地的和平空气弄麻木了。找了好久我才找到那远在村外的开刀的地方，以及伤兵的住所；然而我去得不凑巧，负责人不在，而那位美国医生又是极严格的，于是我就只好回去等待一种机会了。

断臂团长正在屋子里和秘书谈天。题目是一对青年同志的恋爱，于是我也参加了谈话，找着证据，并且大胆地诊断起来。但当我们正把一件细事看作重要发现的时候，贺龙将军忽然走进来了，他追问着我们谈话的内容，而当断胳膊笑着向他诉说的时候，他懒懒地切断他道：

“这是造谣，她要他买红布做什么？”

他又找了一个反证继续说了几句。但他的欢笑是勉强的，做作的，这件往常很可以使他发出一大篇议论的题目也不怎样惹他关心。他随手取了那份五团新近送来的报纸《战旗》，摊在坡上坐下，去默默地阅读起来。

其间那个有着一付孩子脾气的团长忽然发笑了，骂了一句粗话笑说道：

“师长！那个白大夫开起刀来真蛮呢，从前帮你做饭的老王也叫他把腿杆锯了，在六团团部里当司务长。他问我胡子在那里。我说就在附近；嗨！这个家伙马上就流起眼泪来了。说，我想看一看他。我跟了他这么多年，我的腿杆也失了。”

说完他又纵声笑将起来。贺龙将军也十分勉强地笑了笑，但立刻又勾下头读报去了。我觉得他的眼睛里有着某种东西的柔和的闪光。他盘着一条腿坐在炕上，一只手斜撑着身子，右手大拇指的指甲在芦席上随意划着；嘴里细声地哼着一种模糊不明的曲调，好像他是在尽量排遣着自己的一样。

但他终于慢慢地把头扬起来了，苦笑着叹息道：

“人一过四十岁心就慈起来了。”

我们都沉默着不做声。

“一夜没有睡！早上一早就爬起来到卫生处去了。脚呀，手呀，堆了一大堆。同志！这就是我们共产党的肉，共产党的血呢。”

他用同样闪着柔和的光辉的眼睛直视了我一分钟，于是发愁地笑了笑，吁一口气，拿起油印的《战旗》，躺下去了。他双手绷着它，轻声地朗诵起来；但显然是在尽力地抑制着自己的感情而已。……

下午在和周说到伤兵问题的时候他的神气也照旧显得忧愁。他不大赞成他们以往的办法，仅仅派一个侦查班，就把成百的开过刀的伤兵送到铁路以西去。他以为这是很危险的，虽然从未出过岔子，并且每一次都有老百姓帮助侦查放哨；在某一个地区，一次，甚至群众自动负责，让伤兵改了装，把他们安全地输送到目的地带。

“总不能老是这样，”他苦恼地说，“最好赶快发展两个游击队，在铁路搁起，就一点问题也没有了。”

他又叮嘱到他们的伙食，并以为副官处应该多有几个杂务人员一道招呼。但一位同志含笑道：

“他们都不愿意去。”

“为什么呢？”

“近来有些人笑他们是犯过错误的。”

“这样认识不对呢！”他稍稍有点兴奋了，“一个同志犯了错误，难道胡子这样长了，他的错误也还在吗？这不对！你们应该随时考核，看犯的什么错误，改过没有，改过了就马上注消！”

他愤愤不平地沉默了一会，随又严重地关照周道：

“士梯！你一定把这件事好生搅一下！”

随后，虽然已经黄昏了，他还是约了我们一道出去游逛。他沉默地穿过着村街，撅着烟斗。中途我们碰见两个入伍不久的小鬼只有十二三岁，穿着空空荡荡的大人的军服。他用手招呼住他们，一个个的帮他们扣好那敞开着的领口，很当心地。

二七

作成贺龙将军的忧愁的另一个原因是新兵问题。

在住庄的时候他就担心着这件事。近两个礼拜来，我们又陆续进行了窝北战斗，黑马张庄战斗，以及河间附近的伏击，兵员补充自然更需要了。然而困难还不在这里，冀中民众入伍的踊跃是极可惊的。使人焦灼的是在集合和输送的当中常常有被敌人冲散的危险。因为敌人的据点是太多了。

曾经有几次，他没头没脑地，忽然望着周沉吟道：

“莫是打散了就糟了呢……”

然而，一天我们正在吃中饭，大批的新兵终于来了。护送的是一个年轻的连长，外表看起来嫩得像个小鬼一样，聪明英俊，穿着非常整齐。他是从特务团来的。他交代完毕就要回去，但贺龙将军却要他等待编制归一后再走。

他玩笑似的望着那个表示拒绝的青年人道：

“你一定留下来！要多给他们一些鼓励才对呀？”

“我还有许多工作要做，又没有指导员。”

“这也是工作呀！还记得你自己入伍时候的情形么，今天鼓动，明天鼓动，没有把人的嘴巴说得翻白泡我才不信呢！”

“我倒没有要人鼓动过哟！”

“你敢赌个咒？！”

他佯装着认真的神气逼视着他，青年人立刻笑了，但也显然地默认了。

“在八路军当中不做点政治宣传那才怪呢！快坐下来吃吧，吃了就带他们到六团去。”

于是我们继续吃起饭来，他再也没有前两天那种懒散的神气了；他吃着，一面向同桌的甘诉说着他几月来的忧虑。并且深自庆幸着，以为只要能够有源源的接济，任何残酷的战斗都用不着再担心了。

他把筷子拄在碗里，凝神地望着我们，叹息似的笑道：

“你想，四面都是敌人，天天要打仗，没有补充不完事呀！？”

“这倒该感谢马列的在天之灵！”

甘开着玩笑；我们大家都忍不住哑声的笑了。

按照常例，吃完饭他就该回到寝室里去抽烟的，但他依旧留下来，守着那个落后的少年军官。他慢条斯理地把烟斗摸出来，一面装着烟末，一面端详着他笑说道：

“这个小鬼那里弄得这样漂亮呀！又是皮帽子，又是皮挂包！什么地方揽来的？该不是找到老婆了吧？”

少年军官腼腆着不做声。

“给你说，讨老婆不要紧，可不准同土豪的女子结婚。这里要受批评的，懂得吧？”

“现在根本还不是结婚的时候。”小鬼回答着，搁下饭碗站了起来。

“这样想就好得很！”他衷心地赞许了，“等抗战完了再说吧。我给你讲，那个时候起码有好几十万女子等着找对象呢。自己又是民族英雄，又年轻，那还找不到一个好的？”

说着，他又重新装起烟来，而那个青年也把自己卷烟摸出来了；于是他又笑着指责他道：

“怎么还抽纸烟呀？总部早就在通令禁抽呢！”

少年军官红起脸来。

“好吧，通融一点，把这一盒抽完就不准再抽了。”

他的声调里带着一种娇纵；停停，他又亲切而认真地加添上：

“我给你讲，最好抽旱烟，你看吧，又不贵，像我一个月顶多才抽一块钱的。……”

那个聪明孩子显然给了他一个好印象。因为当他把那大批新兵带走以后，回转到屋里的贺龙将军，依旧还带着那种因为感到夸耀而来的愉快，而且仿佛谈说一种灵迹一样，他睫着我轻声道：

“你不要说，我们八路军这一类的小鬼很不少呢。”

吸了一会烟，他又提到我在延安认识的一位同志：

“这个人小时候也满聪明呢。才这样高就跟着我；广暴失败过后我们一道在香港，他就天天穿件长衫子，戴顶破皮帽到码头上接人，没有出过一回乱子。”

我问他知不知道几年前那位同志在上海的一次恋爱问题，但还没讲完，他便不以为然地截断我了：

“那根本不会成功！我早就说过，那些人都是小姐，亲亲嘴算什么，——她们是要找大人物的！”他的脸上带着一点不平的神气。

二八

已经是夜深的时候，他走来同我谈到一部份鲁艺文学系同学要求回延安的问题。

“你应该劝劝他们才对，”他发愁地说，“没有政治上的坚定是写不出好东西来的。比如高尔基，鲁迅，若是对政治没有热情，不关心人类民族的解放事业，他们会有那样伟大吗？就拿别的有名作家说，也不单因为他文章写得漂亮呢。”

停了一会，他把腿杆慢慢移向长凳上去，一面沉思着继续道：

“他们说是没有材料，材料要你自己去找呀！一天就躺在炕上卵弹琴，那怎么会有材料呢？”

他凝神注视着我，带点忧郁，也带几点气恼。

“老实说，”停停，他又苦着脸继续道，“在我看来材料倒丰富得很。单是把我们训练新兵的经验介绍出去对抗战就有很大帮助。比如，别人总讲练兵困难，但我们只要他今天入伍，明天就可以打仗，带一点伤，出医院来就是一个老兵了。”

他十分敏捷地发现了我的惊疑，遂又立刻反问我道：

“看你是不相信吧？也难怪，就是我和几个区委谈起他们也不相信呢。但是这有什么稀奇！同志！在内战时候我们还要不到两天——上午入伍，下半天就可以开出去打仗了！”

于是他站了起来，仿佛演说似的，带着感情向我述说着训练新兵的要点：政治宣传，班长单独钉住一个人说明枪的构造和使用，以及战场上的重要事项，而一碰上战斗，他又亲身带着他一道放枪，并且与以不断的鼓励……

“不单是这一点值得注意，”他有点兴奋了，“就是我们的战斗过程写出来也不坏呢！一个战斗之前要解释这个战斗的意义，它的形势，有党的动员，群众的动员，又有流动宣传队，专门在火线上负政治鼓动的责任。所以不管情形怎样坏，怎样残酷，那怕马上就要人死吧！

两个党的小组会一开，说不退就没有一个人退！”

他傲然地把双手朝裤袋里一插，微笑着，重新坐下去了。背靠住大柜，腿子依旧移在长凳上面，现出一种非常满足的神情。但他忽又把脸转向了我，认真道：

“同志！八路军现在就是靠小组会靠政治动员打呢！你怕是靠火力打么！？”

他得意地，哑声地笑了。

“老实讲，”他又慢腾腾地继续道，“我们的冲锋也好，坚持也好，全是依靠政治情绪的。像在后面架起机关枪督战呀，拿起大刀督战呀，退却就要砍脑壳呀，这些我们不用！从红军到现在，可以说从没有杀过一个退却的人；连战士都没有！”

从他的声调可以听出一种坚定的自信，但他随又苦笑了，柔声道：

“请问，这些不是材料是什么？——枪一响你就要跟着去呀！说是怕死呢，我会派兵保护，还要人怎样呀？”

他发愁地反问着我，而接着，深深地叹息了。

“不凑巧，我们早来三个月就好了！你也可帮忙把他们组织起来，大家计划地写东西就没有问题了。……喂，老沙，我们重新来过好吧？”

我说目前恐怕当口困难，环境太不安定了，但他立刻加以否认：

“目前自然困难，让我们把敌人的围攻粉碎了就好了呀！你看在岚县吧，我们一住就是一年。你还没有听见他们说，在去年平静的时候，他们常常坐汽车到天津附近去呢。并且现在只是收集材料呀？”

我承认了他的意见，于是他又摇摇头笑说道：

“你像有点悲观动摇呀，同志！？”

他的观察使我感到有点难为情。因为这显然是不大正确的；虽然我也有过不大争气的时候，可是凭着经验，每一接触到他那种男性的乐观，那种有着传染性的快活的微笑，什么阴暗的心情，都立刻消失尽了，所以我觉得我没有理由接受他的意见。

“一点也不是悲观，”我直白地回答他，“我说的是实在情形。”

“这样就好！”他赞许着，“我这个人就愈困难愈坚决。老实讲，现在比内战时期好多了！还可以听收音机，可以一气住上他十几天。那个时候吃饭都要担心子弹把饭碗打破。可是我们也一样地吃喝，开玩笑！”

我想起了我们通过平汉路时的情形：当一列火车突过来阻拦我们的时候，由于剧团和若干非武装人员的张惶，以为是铁甲车，秩序相当混乱了，大家胡乱奔跑起来。而他却独自牵着马匹，站在附近，异常镇静地注视着铁路，仿佛一头大胆的老猫一样。但是许多没有发现出他的干部却不免惊慌起来，压低嗓子互相问道：

“胡子呢？……师长在那里！？”

他不张声，依旧平静地半蹲在那里。……

我把这件事向他提谈了。

“唉，不错！”他承认着，“我不督率在那里怎么办呢？要他们收容人呀，骡马呀，文件箱呀，那你一跑他们就更乱了。我一直搅到天亮才离开铁路呢。”

他眨着眼睛想了一会，附加道：

“其实每逢紧张的时候我总是一个人留在后面……”

于是慢慢地吸燃烟斗，他又为我们讲了一件洪湖时期的战事。地点是大小洪山附近，在一回遭遇当中，一个新兵师被敌人冲溃了。许多人都主张他先走，但他发起脾气来，偏要亲自督率着收容。而在最后，他不但在猛烈的火力下把所有的人集合起来，并且以一个反冲锋把敌人驱逐开了。

“这样的事多得很！”他继续道，“从前八师师长就常和我一道。我两个随常争着收容。他总是要我先走，又吵又闹的，说你先走吧！让我来好了！这个人叫陆东生，到苏联学习去了。”

他充满着爱抚地笑了。接着又道：

“贺炳元也是这样。有些时候他还要同你扯呢，你莫看吧！我两个民主得很！……”

二九

吕汗离东湾里村只有十里，一个从河间进攻肃宁所必需占据的要点。

黎明的时候，敌人便从滹沱河对岸用大炮轰击起来，中午达到了占领目的，下午三点钟，却又被我们赶回河间去了。

当村街上恢复过往日的和平，村公所和农会的工作人员在挨户征集着慰劳用品的时候，贺龙将军领起两个本地少年到我们的住处来。他一只手揽一个，两个小脑袋在他胁下钻动着，发出嘻嘻哈哈的笑声。他一进门就把他们扔给我和秘书，自己跨上长凳，在柜子上坐下，慢条斯理地把烟具摸出来了。

“这下你们跑吧！”他笑嚷道，“张娃儿！你就在门边给我拦住！”

"我们唱不来歌呀！"那小的一个说。

"那里有唱不来的！"秘书接着道，"你听，我们房主人都会唱：叫老乡！……"

于是，那个青年人进行起他的政治工作来了。

最肯答话的是那小的一个，地主家的独养子，有十二三岁。大的很沉静，一句话不讲，勾起头拿了我的剪刀在剪着指甲，他的动作看起来很困难，贺龙将军摸出指甲刀给他。最后因为看他做得同样笨拙，他便又把他叫近身去亲自替他剪起来了。

其间，那个独养子在一直玩着皮，所以当他的服役完结以后，他用一种不大快活的调子说道：

"这种小孩子有什么用处！我像他们这样大的时候，已经干过多少事情了。"

他傲然地划着火柴，打算吸烟，但刚刚划燃却又把它抛了开去。

"看呐，"他接着说，"我十岁就一个人到涪州办鸦片烟，一买就是几十担。一来一去千多里路，沿途都是土匪。还到贵州去做马生意，总是百十来匹的买；放到辰州去卖。一直把长的钱玩光了才回家！……"

大约想起了早年那些胡闹生活的细节，他自己忍不住哄笑了。

“你们相信吧，”隔了一会，他又兴致勃勃地凝望着我们，“我才十八岁就有四个老婆呢！因为家里很爱我，才十四岁我就结了婚。后来我自己讨一个，我父亲给我讨一个。另外还在贵阳搅了一个回来，是有老公的，我两个说明了让给我，随后生了小孩子，就完全归我了。我的父母都知道我不喜欢我的大老婆；我小时候喜欢的是另外一个，很漂亮。我两个人弄得满好。我结婚过后想我想得不得了，才十八岁就死了。”

“我小时候顶讨厌读书，”他忍俊不禁似的笑着，“管他是先生打瞌睡也好，睁起眼睛钉住我也好，一天我就削木头，雕东西，把一张桌子雕得稀烂。手上随时都在流血。我最见不得没出息的人。一天老师赶场去了，学堂里闹得一蹋糊涂。一个同窗的向大家夸口，说，我将来长大了么，我要做保正管你们，我说，你个娘的！老子将来眼一睁就要红半边天，眼睛一闭要黑半边天！”

“这个话后来叫我们的族长知道了。是个老拔贡，胡子这么长，雪白。他叫人把我拖去训了一顿，说，你晓得你说这些话的厉害么，会遭灭族之祸的呀！我说，好啰，遭到灭族之祸的时候你也早死了！怕什么！哎呀，这个老东西抓起烟袋杆子就打。这样大的烟斗子——不过还没有打到身上，我已经跑了。

“其实就是民国五年反对袁世凯的时候我的岁数也并不大呀，——才十九岁！同盟会要我组织湘西暴动，我说好吧，立刻就找些人把石门县的团枪提了。转来碰见我的叔父，我说荼公！我们去提盐运局的枪好吧？他说对对，于是气都没息，我们又掉转头搅盐运局去了。这一来我们就去进攻大庸，人数也增加了。

“你们还没有看见农民一轰动起来的那个情形啊！简直挡都挡不住！

“凡是和我有交结的年轻人都参加了。都是一律打扮，剐了云子的白绸短打，黑纱套头，后面拖这么长！不过因为城里住着一旅北洋兵，打死我们好几百人，第三天，剩下来的几乎全跑光了。”

“这都是小事，”他愤愤地说，“最坏的是那般势利鬼。你刚搅对了的时候他捧你，说，这些茅刷棘了不得，说干就干！你一失败他就把嘴一瘪：这些人都搅得出事来么，我就说吧！”

他闷着脸停歇下来，仿佛他正对着那种渺小的人类一样。而那年青的秘书于是带点挂虑问道：

“后来又怎么样呢？”

“随后我把剩下来的队伍拖到辰州，跟到就下野了。……”

沉默了一会，他又申言说，虽然下了野，虽然被括了兵权，因为一个民军领袖的地位是依然存在的，所以当时新上台的督军谭延闿不但没有进一步把他当成一个不折不扣的仇对看待，还委他为督军署的咨议，并且拨出静口的粮船两支来让他收税。他把后一件事委托了旁人，自己乘船跑到长沙去了。

“我记得是坐的戴生昌的船，”他回忆着说，“路上打了账房一顿，就东西也不要，跳上岸走了！但是到了长沙我更闹得厉害。酒馆，戏园，台基，没有一处没有我。为了捧角把戏园子打烂平常得很。简直一蹋糊涂！”

他纵声大笑起来，之后，却又用一种哲学家的口气这样说了：

“不过胡闹是胡闹，同志！长沙这两年的生活对我的影响也满大呢，知道了很多很多事情。”

因为房里已经昏暗，沉默一会，他潇潇洒洒地走出去了。而把我们扔在一种吃惊和愉快的幻想里面。

三〇

"你们不要看，"次日下午他又来同我们谈起他的幼年，"我小时候还上过堂，打过官司呢！"

"大家都晓得，满清时代一个领班那个凶啊！什么案件都要先经过他，手下总是养起好几十个徒弟。我们县里的领班叫陈小涛，无恶不作，随便提人呀，勒索呀，什么都干。他的两个儿子更是豪强霸道，没有人惹得起。一骑起马来那个劲呀，不管人哟，摊子哟，撞翻了你自己倒霉，难道还敢找他吗？！

"有一次，他跑到我们那里来了，照例骑起马乱撞，我就拖出一根棍子，站在门口说：

"'是好的你给老子来撞！'

"这个狗娘娘的硬是撞来了呢！我就给他妈一顿打起。许多哥哥兄弟呀，也都出来帮我。因为满街是我们姓贺的，所以不到半点钟就打得他头破血淋，赶紧跑了。这一下许多人好开心呀！

“可是跑回去马上就在衙门里告了我。他们又替我担心起来了，说，这下怎么办？我父亲也有点着急。到了审问那天，把我们族里的好多功名人都请来了。并且还预先教了我怎样做口供，免得取不脱手。因为实际上是我打了别人呀！

“你们还没有看过满清时候问案的情形，很威严哟！你一跪下去，就挟棍板子，拍地一声堆在你面前。……

“说起来我也满胆大呢，我才不管你那一套！我说：

“‘我怎么敢打他呢！我在街上买东西，他们骑起马乱撞，把我的酒罐呀，油罐呀，全碰烂了，要他们赔还打来一顿！’

“除了这个，我另外还有个供词，是一个姓王的举人教我的。他和陈小涛不对的很，——这个人后来叫我杀了。他要我说的是暴露陈的黑幕，怎样的勒索人，挖苦人。并且要我咬定那个小领班是下乡抓人的，所以结果领班也革职了。”

“这样说你不是很年轻的时候就讨厌官府了？”我

问道。

“很小我就讨厌官府了！记得十岁左右的时候我们镇上来了一个禁烟的委员，有喝道的，堂勇哟，一大串！这种情形在小孩子的眼睛中多好玩呀，我就跑拢去看。可是还没有走近身，就一阵吆喝，把我赶开了！连街沿都不准下。

“这还不算呢，给我印象最深的是另外一件事。

“一年天干，农村里吃大户，封仓闹的一蹋糊涂。眼看城镇上的老百姓也动起来了，公家就借了一批谷子粜米。因为我父亲是缝工，一边种点地家里糊不圆，所以也跑进城粜米，带着我同他一道。担了这么大一对箩筐，你想，装得到多少呢！

“粜米的地方就是大堂边，那好多的人啊！你挤我，我挤你的，都想早一点把米揽回去下锅。可是那些狗腿子偏不肯发，要等杜老爷来再说。杜老爷是房里的老典，很有势力，他就在主办这件事。这有什么办法呢，大家就只好等下去了。

“可是杜老爷老不来，粜米的愈挤愈多；都在往前面挤。把那些差人惹毛了，拿起皮鞭就打……

“我父亲就去讲公道话。他的拳术很好，可以打几十个人。他说：

“‘大家是来粜米的，不是来挨打的，怎么就乱打呢？！’

“话才说完，那些狗腿子就给他一鞭子；他一闪，鞭子恰恰打在我手上了。

“这一下把我父亲惹毛了！他把我抱在一个高坎上搁起，说，你把箩筐看好！就跑拢去把鞭子夺下来，给他妈一阵乱打。随后杜老爷跑出来，又叫他一顿打起。那真搅得痛快呢！可是结果开来一批堂勇，把我父亲抓去关起来了。

“好在我们有两个堂叔出力，才关了一夜就放了。这两家人我们平常是没有往来的，看不起他们，——他们吃衙门饭！”

因为当他笑着停下来点他烟斗的时候，我们提到环境给与一个人的教育意义，于是他又继续道：

“是呀！”他衷心地赞同着，“比如要不是南昌暴动后去一次香港，那里能够真正知道什么叫做帝国主义？！我反帝的思想可以说是从这里生根的。因为虽然内地也有教会，也有外国人，他们对我是捧的；要利用你保险呀。”

“不过在辰州住房的时候我也做过一件痛快事，辰州教案的石碑叫我打烂了。

“这太可恶，太丑人了！打死他妈一个洋人，赔了好几十万银子不算，还杀了两正将，两个游击，最后还要一五一十写上去，立他妈那么大块石碑，好像生怕把中国人的脸丢不完样，——真太可恶了！”

这时张娃儿走过来了，报告参谋长请他，于是他们一同走了出去。

三一

当贺龙将军出去以后，因为大家继续地谈话的重心移在他自己身上，在座的断臂团长于是表示意见道：

“你莫看现在吧，啊哟！先前那他的脾气相当躁呢。你就不要惹毛他！

“有一回，我们出去打游击，打了些布匹回来，他叫裁缝给我们缝衣服，后来发觉裁缝把布偷了，好气！说：

“‘好呀！我们从土豪手里抢来，你又来抢我们！’

“他立刻就叫人把那个跛子拖回去看管起来了。

“以前镇压反革命的时候那才更要话说，只要是参加反革命组织的他就一点都不客气，说枪毙就枪毙。单是他们桑植贺家的就死了好几个；那些人都是同他一起长大，一起起事，跟过他多年的，是别人那里有这种魄力呀！

“可是只要你不犯错误，工作积极，那他对你好到天上去了！洪湖退出来的时候，我们一面走路，一面打仗，一面还要扩充部队。有一回，我带了一团人单独出去工作，给敌人隔断了，好几天通不到信。他着急得不得了，按到那个李菩萨好骂么！这个人善迷迷的，是他的参谋长。他通夜没有睡，就那么骂：我通你老子，通你祖人！

“嗨！他没晓得我抄小路转到他前头去了。第二天在路上听见我来了好高兴！一路就那么叫我，贺炳元喃？！贺炳元在那里？！把他叫起来，这个娘的！问他这几天在搅些什么呀！

“我才锯了手的时候，他把碎骨头拿张手巾包起，见了人就打开看，说，这就是贺炳元的骨头呀。

“他先前就怕他大姐贺英。不管他那样毛的脾气，说杀人就杀人，只要贺英一挡就挡住。我还记得一个人犯了错误，已经绑到河边去要枪毙了，她看见了，说你们把这个人交给我！过几天她又把他依旧送转去。

“她牺牲了的时候胡子好难过呀！

“其实一早大家都劝她搬到苏区去的，她不听。手底下吃闲饭的人太多了。平常总爱什么人都收留，那些没人要的小孩子呀，无家可归的老头子呀，她都收留起。女孩子长大了还要帮着找人户，办陪奁。许多胡子不要了的人她也养起，没钱的给钱，有病的就住在她那里养病，过一个时期又把他们送转去，叫胡子再用。

“出事的第二天早晨，胡子跑来向我说：‘贺炳元呀，这一下完了。’

“我说：‘她自己不听话呀。’

“隔了好半天，才吩咐我，说：

“‘你带点钱去，总还剩得有点糙糙啊，收拾一下。’

“这个人真牺牲得太可惜了！能干得很。有一回，胡子收编了一股土匪，自己心眼儿虚，你想，胡子平日又是宰那些烂队伍宰出名了的么，糊里糊涂就拖起走了。还准备同我们开火，他也想把他（土匪）收拾了算了，免得坏事。贺英出来挡住他，不赞成打响。自己一个人骑起一匹骡子就跑去了，——后来她硬把队伍又拖转来了呢！

“你不要看她是个女的吧，连许多大土匪头子听了她的名字都吓怕。谁猜到会遇见保安队！这些东西土头土脑的，他管你那许多；只要有七块半钱一月他什么事情都干得出来！……”

断臂团长长长地呼出一口气，随即结束了他的谈话。

三二

秘书接到通知，那个有着四百多个老婆的独立二支队叛变了。

支队长叫柴恩波，先是吴佩孚部下的一个连长。他的部队在冀中算是顶复杂的，土匪伪军占着绝大的成分，因此也就成了汉奸抗匪以及一切民族败类繁荣滋长的场所，而在这次抗拒军区整军计划的叛变中起着决定的作用。

事变的第三天夜里，我们四五个人正在屋子里闲谈，他把电棒挂在颈子上吊起，撅着烟斗走进来了。

“已经打响了。”

他站在门边通知我们。而在引起大家注意以后他又加添道：

“你不要说，我们这次的计划满不错呢！”

我们大家都睁着眼睛希望他告诉我们一个究竟。但仿佛故意作弄人似的，他谁也不再多看一眼，慢条斯理地爬上长凳，在柜子上坐下了，并且静静地抽起烟来。他的军帽掀得高高的，颜面辉煌，好像走过长路似的挽起一段裤脚。

“你们看这个形势吧！”

隔了好久，他才手指在膝头上画着，用一种沉静的调子加上说明：

“他的司令部就在这里，周围是水，几个大队就在两边。他自己带的只有一个警备连，一个特务营。这两部份是他顶打得的，也就是他打仗的本钱。嗨，别处不打，我才要偏偏打他的司令部！”

“有战报来没有呢？”

“那个托派的坏蛋已经抓住了。”

“还有那个县长呢？”

“就是这个东西坏得很！……”

像是走来息气似的，他把烟斗在衣包里放好，就又洒洒脱脱地走了。

此后一两天我们没有见到他。而在第三天夜里，他走来告诉我们，那个叛变的支队已经解决大半了。可惜的是事前柴本人有准备，同那县长拖起一部份人在文安附近的一个村子里固守起来，现在还在对峙当中。

“并且已经公开他当了汉奸！”他继续道，“前天把十多个军区派去的高级干部，全部交给敌人去了！”

“这才糟糕！”

“不过后一个消息还好，”他懒懒地补充着，“都跑落了。一个日本军官跑出城来接人，才在点数目，那个参谋长一手枪就把他打死了。又是挨黑时候，这一来两边都莫名其妙，大家跑得一蹋糊涂！”

“这一枪真太打痛快了！”

“那支枪我想一定是一个同志运给他的，”他推测着，“又是手枪，像那种三号勃朗宁，才好大点，送茶递水的时候，眨下眼睛就递过去了。像这样藏在裤带子里你那里看得出来！并且里面我们的同志也多少有一点呢。”

跟即他又讲述了一个政治委员的英勇行动。这个人同柴恩波是有着旧交情，所以在事变的前一天柴就找他去谈话，先用友谊，后用威吓，迫着他要一直同他站在一道，而抛开自己所属的政党，抗战，以及那份每一个中国人应该誓死不渝的忠于民族的天职。然而那是一个不可屈服的顽强汉子，他最后抓来一枚手榴弹，表示再被强迫他就愿意和他同归于尽。……

“柴硬拿到他没有办法呢！”他的声调忽然高亢起来，“只好把他放了。这个人够得上是个共产党员，值得表场！”

“柴拖走的有多少人呢？”

“没有几个。其实就再多些他也搅不到好久的！先前倒还可以欺骗，说诳，现在你公开和日本人往来，难道士兵就没有长眼睛么？我给你说，现在当兵的进步多了，你看上次那份报告吧！”

他是指的那个画着漫画的账折子说的。于是我们又从士兵进步的方面闲谈起来，而且牵扯到一般招募新兵的难易。他认为补充最方便的是内战时期。就拿洪湖作为例子，他大感兴会地说道：

“我给你说吧，同志！二十岁以上和二十岁以下的我们还不要呢！并且都是自己带装备：军衣，八角帽，干粮袋。到乡公所报名的时候，负责人把你上下看一眼，缺一样都不要。原因为是人口太密了，一个小村子都有几百户人。大家的田地又好，一年收三季；再加上不断地政治宣传，老百姓参加起来怎么不起劲呢？是你，也要参加呀？”

他把尾声拖得很长，站起来准备走了，但又坐了下去，继续道：

“不单这点呢，作起战来老百姓自动帮助部队的情形也了不得呀！一次我们攻打湖当中一个镇子，四面是水，只有一条路。敌人派一旅人在那里守起，看你怎么办！嗨，农人他才聪明！一个吆喝就替我们动员了一两千条水牛来。那个时候红六军正同我们一道打。我走了一转跑转去，怎么一个人都没有了！我走去问邝继勋，他说，那不是人呀！原来都牵着水牛做掩护从湖中间打过去了！”

当我们大家的笑声停下来的时候，他看看手表，一面不相联属地自言自语道：“他搅不到好久的！”一面离开了我们。

三三

因为大炮愈响愈近，愈响愈密，我和秘书便跑去侦察科探听消息。据说饶阳一股而外，窝北和义门由子都有敌人同时进攻。并且河间、献县等处的敌人都在一两日内大量增加起来。毫无疑义，残酷的扫荡又开始了。

吕汗陷落的时候我们正在吃午饭。一个参谋跑来见他，说是敌人已经在造桥了。但这个紧急报告于他毫无影响，他依旧吃着饭俏皮似的应声道：

“是呀，造起桥他才好过来呀。”

“没有什么话要说吗？”停停，对方就又忍不住追问一句。

“没有了，你走你的吧。”

而当那个四川同志刚才转身去的时候，他又瞧着我笑将起来。

“同志！你看，敌人对我们的兴趣真不小呢。”

他的态度使我发生出一种奇怪感觉，而且不知道为什么，我也跟着他丢心落意地笑了。

其实在此后十天不断的行军中，他的态度都是很随便的。好像一个习惯于骇浪惊涛，而又喜欢着它们的舟子一样。甚至连上一次偬促应付敌人进攻那种些微的不安也没有了，虽然在情势上说还要险恶一倍以上。因为几天以后我们才弄清楚敌人的进攻一共是十路，数目在两万左右，想用最大的努力把我们的主力驱逐向平汉路西边去。

十天当中在一处地方停留上二十四个钟头的事是全没有的。早晨开到，夜半或者傍晚就得又走路了。有两处地方我们恰从西头开走敌人便从西头进了村子，仿佛换防一样。经常听到的是大炮声和机枪声。许多马夫之类的杂务人员一到宿营地就躺下去打起鼾来。然而贺将军，却依旧是坚定而愉快的，有时甚至使人失掉了那种对于战争的微妙感觉。

第四天上我们住扎的地点是卧佛堂，十里外的石马就在进行战斗，他却忽然想起要同冀中政治主任公署比赛篮球了。

“一定要注意啊！”他悄声地叮咛着我们，“看那一个打得好你们就把他拖过来！”

他的脸上显出一种捣鬼神气，随又孩子气地大笑了，解释道：

“你们不清楚，我们还输给赵承绶几个球呢！将来一定要组织一批人去捞转来才应得过！……”

然而随便的是他的态度，对于工作他都是认真而严肃的。每每经过一处住有队伍的地方，他都要停留下来亲自给他们一番指示。而在到达宿营地以后，因为一夜的行军，大家都睡觉了，他却还要同别的领导人忙着军事上的布置。并且不仅限于附近的直属部队，全冀中所有部队的行动都依旧取决于指挥部的行动的。这是因为在那么大的平原上几无时不在进行战斗的缘故。

是到青塔的早上。我们正在卸行李，他从司令部里走出来了。眼睛有点枯燥，炯炯发光，比平常射人。脸上带着一种病态的红晕。先他一步走着的是那个短小精悍的六团团长，推着自行车，一面不时侧转脸去倾听他的嘱咐。

他一直送他到第三一个门道的阶沿上，于是站定了继续沉着而分明地说道：

“不要理他的！你回去就催他们弄饭吃，吃了就睡！”

那个渔人出身的青年干部应声着，已经走开去了，他又从后面着力加上一句：

“没有命令无论如何不许动啊？——黄新庭！”

他决然地退回去了。

当我死尸似的睡了一觉醒来的时候，我又忽然发觉他屹然不动出现在我们的房门面前。衔着烟斗，两手撑住门枋。他在不声不响地打量着我们的屋子，悠闲自得的，好像房主人那些集满尘埃的家俱，以及同伴们的睡相使他十分发生兴趣一样。他的行动使我发生一种极端惊怪的感觉。

我翻身起来出奇地望着他。他对我眨眨眼睛，带着一种打趣的说道：

“快好生睡你的吧！”

于是一转身便走掉了。

到了傍晚出发的时候我才弄清楚这是我们行军中最

紧张的一天。我们周围四五个地方都有敌人，最近的梁会村只隔五里路，而且在我睡觉了的时候还对我们放过四五十响大炮。然而因为部队的沉默和封锁消息的敏捷严密，随后敌人却又莫明其妙地转移开了。

次一日的宿营地是边关。这是第九天的行军，敌人已经失掉他们追逐的线索了。早饭后躺了一觉他就走来约我们出去逛街。他穿着一身洗浆过的蓝布制服，打扮得很整洁，胡子也是新修过的。他的全体使人发生一种喜气洋溢的愉快感觉。我们一面走着，一个同志一面向他报告着当地村政的腐败情形，以及一般民众的怨愤。

“那你们就好好调查一下呀，”他嘱咐我们，“现在就需要这种材料！”

一个绅士般的老人很有礼貌地向他打着招呼。

“这就是他妈一个土豪！”

他正眼都不看他一下，而且恨恨睫着我们低声说了。并又补充道：

“不相信的话，你们去调查吧！一定不会错的。”

横街转角不远便是剧团。我们进去坐了一阵。除却关于行军生活的询问，他还闲情逸致地对离开东湾里前一夜上演的“农村曲”下了一番批评。他最赏识那个串演主角的女同志，是才加入剧团不久的。他称赞她道：

“真看不出来！你的眼睛，眉毛呀，都会做戏。”

随后他们又问起她的年龄，并且又自己扳着指头计算起日子来：

“噫，再过两天我就满四十五岁[1]了呢！”

“那就该请我们吃饭呀！”几个女同志一齐嚷叫出来。

“这个容易！”他承认着，“你们那个有爱人的就赶快结婚，我帮你们做喜酒。一个钱都不要自己出！”

最后我们又去看了他的吉长。这个漂亮活泼的孩子已经加入宣传队工作了。他坐在露天的砖砌栏杆上，握着她的双手，详细询问着她的学习情形，并且给与一种父亲般的勉励。在要离开的时候，他又伛偻着腰身，柔声地叮咛她道：

“听我讲，第一，要把政治水平提高；其次，要注意一般文化课；记得么？”

---

[1] 贺龙生于1896年3月22日，此时应是43周岁，此处显系作者笔误，或对贺龙不很熟悉所致。——编者注

吉长承认地点点头。

“这个不好呢！”他忽而指着她上眼睑的一个小疮叫了，“快请向大夫给你割了吧？长大了那才丑人！”

回去的时候我们是从房顶上走的，因为依照贺龙将军的意思这样捷便得多，并且可以一览初春的北方原野。而当我们这样做着的时候，我感觉自己忽然变得更年轻了。

三四

河西村离东湾里只有三十几里地，也就是说，我们已经绕回到十日前出发的地区来了。村子的面积有东湾里两倍大，有三分之一的地面耸立着几家姓侯的地主的宅第，建造结实高大，仿佛城堡一样。这里离高阳四十，河间四十，任邱六十，肃宁二十五里，几处地方都住着敌人的机动部队。此外和敌人隔得更近的是辛桥、柴里两个据点。

上午，我们正在谈着我们十日间的观感，他忽然踱进来了，微笑着问我道：

“怎么样，这几天的行军觉得有意思吧？”

“很有意思。”

“是吧；同志，这是你在亭子间里写文章看不到的呢。你看我们东一转，西一转，把敌人的头都碰昏了。”

我很感兴会地提起那天在青塔的紧张情形，他大笑了，显出一种十分开心的神气：

“是呀！梁会村那一股敌人我们到的时候才发觉的呢。他们都主张走，我说怕什么！要是他来我们就对碰一下。在北严家坞也只隔几里路呀，我们才走半个钟头，敌人就进来了。其实好几天隔敌人都很近，现在又转到东边去了。”

他坐下在一张大圈椅上。他问我们带得有什么小说没有，一面取了桌子上搁的一册《茶花女》来。

“好看吧？”他随便地翻阅着。

我告诉他那是一本哀情小说，于是他又立刻抛开它，摇摇头笑道：

“那我不要看！我这奇奇怪怪的人就喜欢看奇奇怪怪的书。什么哀情呀，艳情呀通不是我看的！”

秘书另外递了一本唐宋传奇给他。他看了看目录后，就把它卷成一个卷儿，慢慢地在膝头上敲着，想着心事；随又叹息着，一下抛在桌子上去了。

“真可惜！”他皱着眉头叫道，“前天一个漂亮仗没有打好！枪放早了一点。有好几百敌人，五团计划埋伏一部人在村子里，一部份从侧面攻击，把他赶进村子里来消灭。这应该打得很好的，你看呀，里面的还没有埋伏好，就叫敌人发觉出来了。”

想想，他又笑着宽解自己道：

“没关系！好生休息几天吧，我们还准备打大胜仗呢。”

于是仿佛真该休息似的，他把双脚在果框上一搁，全身往后落在圈椅里面，悠悠闲闲地躺着，不说话了。我们大家都沉在那种春天的融融和和的静穆当中。小鸟在屋外温暾的阳光下啾啁着，屋后有着推磨的细而平稳的声音。贺龙将军的椅子忽然前前后后摇荡着了。

“还是在延安的时候，”他停止了摇荡，带点回忆地说了，“他们问我到那里。我说那里都好，河北、山东都行，就是不要在晋西北。休息得太久了。要我再住下去我就宁肯坐牢！”

他笑着撑起来了。停停，遂又用指头击着桌面来唤起我们的注意，认真地说道：

“老实讲，同志！这里的士兵在本质上比晋西北好呢！文化程度高，生活又简单。只要有两个窝窝头往肚皮里一装就完事。睡觉又不要被盖，连鞋子都不脱，穿起衣服往炕上一滚就睡！作战又勇敢。你们看六团那些新兵吧，才补充进来好久？在石马就可以拖起枪打冲锋，没有一个退的！要是把村政权改造一下这了得呀？！”

自然，他之所谓改革村政，是指合理负担，优待抗战军人家属，这些早经中央公布的办法说的。因为由于冀中区建立的时候较迟，地理条件的特殊；它是平原，而且为平汉、北宁、津浦这几条铁道所包围；一直以来又不断遭着敌人的扫荡，在这方面有些地区无可讳言地还存在着若干的缺点。

他约略举出几个感觉遗恨的例子，遂又概括地继续道：

“所以你们看今天有些地方的情形吧，挖路拆城，——是农民起模范作用！扩充斗士，——是农民起模范作用！抬伤兵运粮食，——是农民起模范作用！而农人自己本身的痛苦呢，就谈不到了。结果弄得来连合理负担也还是农民起模范作用！”

他显见得有点激动，举起双臂做了一个抛物的动作，不大愉快地停住嘴了。他好一会没有说话，沉思着，陷在一种轻微的恼怒里面。但随即他又坦然地望着我们，同样用指击着桌面，苦笑着叹息了：

"虽然这样，"他微点着头，"你看呀，民众还是很好的呢。只要你肯打仗，不管大的小的，他们那个情绪好高啊！……同志！这就是民族解放战争的特色呢！我们不是自己人打自己人，而是和日本法西斯强盗打！"

他重重地在桌子上击了一掌，同时决然地站起来了。而他的神态使人感到一种巍然气象。……

三五

因为两三天来都很安静，我们开始听广播了。但是能够听得清楚的只有敌人汉奸的反动宣传。而且事情真有那么凑巧，第一回我们遇见的放送恰恰便是北平方面对于贺龙将军的无耻可笑的攻击。

“自从共产党贺龙侵入河北以后，即凭其湘西人之蛮横，驰骋冀中，视抗战为彼一己包办之事。……”

接着便是一大堆想入非非的罪名，以及种种只有日本人才能制造的事例。

秘书记好一份，正在踌躇是否应该交到司令部去，那个遭受攻击的本人走进来了。他的神气显得懒洋洋的，一进门便顺势在炕沿上坐下，右腿同时搁了上去，伸得笔直。他拿背靠着墙壁，眨眨眼睛，叹息道：

“贺炳元他们这几天在大清河才打得厉害呢。都是打整天，一连打了三次了。”

“那里面的老干部很多吧？”

“是呀，我就担心老干部。一个营长在前天带花了。”

说着，他走向方桌边寻找火柴抽烟，并且就在桌子面前的圈椅上坐了下去。我们的青年秘书恰恰坐在他的对面。自从贺龙将军进来以后他便一直暗笑着，现在，他终于把那张广播记录擦着桌面送到他面前去了。

我们都不自觉地提起了我们的好奇心。但他漫不经心地看了几行，便又立刻把它推开了，自信地笑道：

“对敌人我是野蛮呢！难道还要同他讲理吗？！这就要野蛮才好！”

“看样子敌人对你很头痛呢。”

“恐怕，日本人，有点勾眼儿……”

他带着顽皮的神气笑了。

他静静地抽起烟来。好像那些攻击和谣言乃是定然的事，自己半生来遭受惯了的，用不着把它们放在心上一样。但是隔了一会，他才为我们讲述了一段民国十二年当混成旅长时他和日本人之间发生的故事。那时候他正在长江上游的涪州住防。一天，一支日本轮船打从那里经过，他叫他的部下把它扣留起来了。

在没收了他们私运的一批军火以后他便放走了那支贼船。但却扣留下两个日本人，并且押在部队里拖了两个年头。当释放的时候，他们一定要见过他才肯走，而他的僚属却不赞成这样做；但他因此道：

“有什么见不得呢！你去把他们请来吧！”

于是他立刻接见他的外宾了。还有那个住扎重庆的领事，是来办交涉的。

“才一见面那两个日本人就开口了，”他一直讲述下去，“问我他们犯的是什么罪？我说，什么罪，砍头的罪！并且我不是扣留你们，是扣留的你们的政府：私运军火，助长内乱！那个领事听到把脖子都气红了——好红呀……”

他摇曳着声调停歇下来，脸上带着一种孩子气的愉快。但又立刻变严肃了，击了一下桌子，正色道：

“同志！这件事情对我的刺激也很深呢！同那两个日人捉来的还有吴佩孚的军法处长，叫张介一。你看呀，那两个日人不过是普通商人，一捉住好多大脑壳打电报来说人情呀；对于这个军法处长呢，不要说电报，连信都没有一封！”

接着他滔滔不绝地对当时的军阀官僚政治发了一通牢骚。

“这太把自己人不当人了，”他愤愤地说，“他还是国家的官吏呢！这一来我不但恨日本人厉害，也更恨北洋政府了。我对那个人很优待，才押到黄角桠就放了，走的时候还送盘川。我说，我只希望你一件事情，你回去给曹锟、吴佩孚说，要想武力统一中国是不行的，——你一个布匠，一个秀才！最好同广东联合。那个时候孙中山在广东……”

一个秘书的熟人走进来打断了他的谈话。当那位同志呆了一会出去以后，他似乎已经处在一种十分静穆的状态中了。一支腿搭在椅靠上。身子斜靠着，无挂无虑地抽着他的烟斗。想起他的跌宕不羁这多多少少叫人发生一点矛盾的感觉。

但因为我们大家都沉默着，并且对他闪着期待的眼光，他又充满兴会地笑了，申言道：

“你没说，日本人真也小气呢。走的时候我才送了一点盘川，他们那个感激的样子呀，马上穿起礼服来道谢。又是笑，又是鞠躬。那个领事还再三约我到东京去。我说，你们的地方太小了！装不下我！”

他后一句话说得粗声粗气的，并且哈哈大笑了。

“说起来大家都知道，”随即他又平静地笑说道，“林攸梅，就是林伯渠的弟弟，和蔡松坡才好大一点病呀？不过是牙齿痛！他给你一点药噙起，一吞下去就死掉了。——日本人你都沾得么？所以就连那个领事送的罐头哟，洋酒哟，我都要他尝一点我才吃呢！”

他略带狡猾地笑了。他又说，民国十六年共产党中央原是要他到苏联学习的，但第一，快要起身的时候中苏断绝邦交了；其次绕德国去路太转；而最后一个原因便是他不愿意经过日本，他是太恨他们，太不信任他们了。

“不过这个说起来还是有利的，”他结论道，“经历了十年的内战！”

于是用手掌在大腿上打着拍子，微笑着，陷在一种满足的沉默里面。其间一个同志说到江西的战况，南昌的守卫和鄱阳湖。他倾听着，忽然静静地站起来了，沉吟道：

"一九二七年我还在鄱阳湖开过会。有叶挺,叶剑英。才隔他妈两天我们就在南昌搅起来了。"

三六

由最近的情报看来，敌人的进攻已经告结束了。这从司令部也可以看出来，虽然照常紧张，但却已经没了战争的迫人气氛。他们正在进行的是关于这次战役的热烈检讨。贺龙将军的忙碌那是不用说的，我们一连几天没有看见他了。

一天因为走的问题我和其芳去见他。他正在同师的另外两三个领导人会谈，同时客厅的一角还坐着若干等候指示工作的干部，我们仅仅简单地谈了几句就退了出来。然而就在这天夜晚，他忽然阴悄悄地走进我们的屋子来了。

我们正在听取重庆的广播，他一直走到放置收音机的桌子边站住，摇摇头道：

“快收拾起吧！一定到天津去买付好的来！”

他闷着脸，声调带点愠怒；但当我们把关闭器闭住以后，他的面上又照常涂抹上喜悦和和气了。

“你们看，”他轻声轻气地接道，“我们现在搅了两付发电机来，只有这么大点：荷包一塞就带起来走了。这个在侦察上的作用满大呢，同志！以后还要装，愈多愈好，专门搅到敌人附近去工作。”

这时我们也都一知半解地阐发了一点在平原游击中应得着重侦察工作的理由。他赞成道：

“是呀！”他顺势在圈椅上坐下了，“要不这样你怎么好打仗呢！现在铁道两边，敌人据点的周围，算是多少有了一点布置。你看，昨天河间的敌人才增加一辆汽车，我们都立刻就知道了。”

接着我们便又说到目前冀中的情形。在这个问题上我出乎意外地说了很多的话，尤其是关于三四个月来的进步，因为就从我们日常所接触的说，这个变动也就够显著了。比如三支队，在我们来的时候这个部队是带有多少游击气息，而在作战上也是顶脆弱的，但是经过整顿以后，在北严家坞的战斗中它却已经成为坚强的部队，使得人不能不拿尊敬的眼光看待它了。

另外我还举了几个我所熟知的例子。他倾听着，而当我停歇下来的时候，他闪着夸耀的微笑说道：

“同志！不单是部队进了步，各方面都有进步呢。拿政权来讲，从前一打仗就把摊子收拾起来了，现在不但不收检起，反而更摆开了。群众的进步也大呀！尤其是北边和西边，都有了武装除奸团；前天在肃宁抓住一个汉奸，他们自己就挖个坑坑把他埋了！”

他不能抑止地大笑起来。随又在凳子上击了一拳，移动一下坐位，倾折了上身，压低声调这样叫了：

“娘的！昨天下午饶阳县县长就在离城三里路的村子上召集老百姓开会呀！”

他吃惊似的盯着我们一会，于是柔和而平静地笑了起来。

“就是勤务机关也不错呢，”他继续道，“你看我们那些火夫马夫吧！如不是夸大，一般讲起来战斗力可以说比国内战争提高了一倍。所以我们可以做一个结论，敌人这回得到的只有三个县城：肃宁、任邱、文安。我们从来就没有住人，城早就拆毁了的，有卵用！尤其是文安，四面是水，只有这么宽一条路，这边侧下去，要人死，那边侧下去，也要人死！柴草粮食都没有，——就只有水他好喝！”

他的态度语调都充满着幽默，我们忍俊不禁地笑了。而接着，他又向我们宣称，抗日战争比国内战舒服得多，自己不必直接领略硝烟气味，但在从前，枪声一响，他总立刻跑到散兵线去了，有时甚至连勤务员也不带，就单单自己一个人去。

“不过还好，”他指着左腿掌说，“打了二十多年仗就是民国五年脚指头擦伤了一点。同志！早先我是参谋也没有的呢，什么都自己干。当营长的时候我就直接指挥几十个班打仗。你不要说，这个劲满大！只要你当官的一鼓，一硬，那士兵拼起命来勇敢得很！”

想想，他又自信地补充上：

“自然啊，现在作战主要的是靠党的力量了。这一点顽固份子顶清楚！……”

他没有再说下去，但对于某些扰嚷的动机，却已经被他那充满智慧的明澈的微笑揭露穿了。

“老实讲，”隔了一会，他才又忽然改变过话头，“我自己在作战当中也险过几次呢。一次在石门县被敌人包围了，我就带一个手枪排，东一转，西一转，又和敌人碰头了。才隔好远呀，——几十米达！幸好守哨的是我从前的一个老兵，他说，嗨！师长！来不得啊！后面的手枪队马上抽出枪来要打，我说，不要动，不要动。我领着他在麦田里绕了个弯子，隔得相当远了，我才说，这一下你们给我打吧！那个时候我们已经爬上一个小土包了。”

他沉思着，随即向我瞟着柔和的眼光，柔声地加添道：

“你不要说，我自来带兵就满好呢。”

他的神气带着一种天真无邪的矜夸，满足而温静地笑了。这种感情是我在成年人当中很少见到过的，但在他却偏有那么容易，因此当他谈到他的同志，战士以及老百姓的时候总每每使人感到一种不可抗拒的诱惑。……

三七

已经是夜深的时候，他把电筒挂在肩头上，走来告诉我，明天我和其芳就可以回后方了。随又取下一枝日本军官用的自来水笔送我，说是从滑石片战斗中得来的，多少可以有点纪念意义。

在彼此客气了几句之后我们便沉默起来。隔了好一会，他才懒懒地叹息道：

“这一次老沙不值，连螃蟹都没有吃就走了！”

他发愁似的望我笑了笑。

“白洋淀的螃蟹满有名呢，”他懒懒地加着说明，“我就爱吃螃蟹，今天见着老百姓墙壁上挂起来那个剩下来的谷好大呀！……”

我们又从新落在沉默里面。为了解除自己心情上一种异样的不安，我问起他对于冀中今后局势的意见，他决然地回答道：

“将来的局面一定打得开！好几个人呀，就守到他妈几间烂房子！……”

缓了一口气后，他又显得激动地向着我们解释：

“这并不是小看敌人呢！”他着力地说，“兵力不足是他永远没有法子补救的。这回围攻我们的敌人你怕是新调来的么，都是从各个据点，像保定呀，天津呀，沧州呀这些地方凑的！结果怎么样？往东开找我们的主力，往西开找我们的主力，而得到的却是死尸，伤兵！”

他猝然撑着桌沿站起来了，红胀着脸军帽往后一掀，露出他那阔而圆润的额头，使人感到一种崛强粗豪的气概。但他随又坐了下去，并且柔和地笑了。

“现在算什么！”他满不在乎地说，“同志！军长搁下来的时候还剩四个人我都要干呢！在鹤峰那个艰苦呀，四个人就在山上钻，这里被包围，那里被包围。后来把我搅毛了，我说率性拖下山去吧！马上硬就在敌人的附近住起！”

这时两个睡眼矇眬的同伴，他们是他进来过后才从炕上坐起来的，都已振作起来，并且受了传染似的愉快地笑了。但这还是一个故事的开头。接着贺龙将军便又告诉我们，他们寄居的农家，门口一天上午来了个卖黄瓜的，在和一个团丁争论着价钱。因为正是热天，口很渴，他忽然对于那种平常的瓜果发生了极大的兴趣。但他的同伴竭力阻止他，表示若果露出破绽，他们又将失掉一个好掩护了。

然而他拒绝了他们。并且很意外的，他认出那团丁是他从前的一个老兵，于是他大胆地告诉他道：

“赶快回去对你们的团总讲，说我回来了。”

他敢于这样做是有他的理由的，第一，那团总是他大姐贺英的干儿子；其次，他的资格和名望可以保证他的安全。所以就在当天下午，一个具着叛党身份的他，被当作宾客接待到团防局去了。许多知道他的行踪的旧部都陆续跑来看他。由于那长期的军人生活，他的部下是很多的，而且都已成了地方上的绅士。他把他们丰饶的馈赠一律分散给所有的团丁共同享受。

一天，团总进城去了，他召集起所有的那些可怜的特殊职业者来讲话，问他们道：

“你们的生活怎么样？”

大家都答应他苦得很。

“平常大架子（土豪）待你们该好吧？”

他的反问得到的是一阵唉声叹气的诉苦，于是他开始给他们鼓动了。

“我是一个共产党员，”他宣言道，“为你们谋利益的；去找你们的团总算账吧！他就是一个土豪，叫他拿钱拿地给你们！”

“他不给呢？”一个人胆怯地问。

“没出息！”他大声地反驳了，“他不给你们把他吊起来呀！”

讲到这里他静静地笑了。并又补充道：

“你看，才三五天工作，就全都是我的人了！”

接着他又讲了同一时期的另一故事。一个青年，“斤半半斤柳拌柳的”，忽然妙想天开，到处借了他的名义招摇，蹂躏着农民的利益。于是发觉之后，他立刻把那小流氓逮捕来了，并且召集起当地所有的老百姓来共同审问，给他一番必要的裁制。

“起先他还要抵赖呢，”他继续叙述道，“后来看见赃证都有，只好承认了。我说，好吧，你借我做幌子去骗人，我也跟你借一样东西，——马上我就拖过去把他的脑壳砍了。”

等我笑完过后，他又兴会葱茏地加上一个结束：

“同志！”他自信地微点着头，“艰苦是艰苦，一面也好玩呢。我们只有四杆手枪。又没匣子，就像电筒这样背起，吊在这边。大家都穿草鞋，蓝布短褂，一顶破草帽子。经常总是我和陆东生两个人换班睡。你看，就这样我们就把苏区搅出来了。”

看看手表，他又热烈地给了我一番鼓励，要我再到华北，并且愿意给我种种必要的帮助。

“最好把家里的事弄清楚，”他已经站起来了，“这一来就可以搅他几年了。才三十五六人，年龄也并不大呀！你看我这个人就永远什么也不管的！……”

他阳气地笑着，真像除却神圣的信仰和事业，一个人便什么也不必再加注意似的走了出去；但才到门边他又忽然回转身来，带了挂虑凝望住我，严正而热诚地这样说了：

“你一定来，老沙！我们将来还要通到关外去呢！”

三八

大炮声和机枪声把我们从睡梦中惊醒转来。

作战的地带是大团丁村，离河西村只有八里，我猜想我们首途的日子会延期了。

但是，黄昏时候敌人终于遭到了完全的溃败。所以当听到战士们愉快的歌声代替了大炮的轰鸣不久忽然得到了通知，说是我们动身的时候到了。我去见贺龙将军辞行。他正在房间里同他的战侣们照了洋烛看地图。向他打过招呼，他就走近房门边来，而且热烈地握住我的手了。

“再见吧，我不送你了！”

他愉快地摇着我的手说，又匆匆退转去了。一面大声加添道：

“路上要当心些呵！老沙……！”

我就这样结束了我五个多月的难以遗忘的生活。但现在想起来，假如他当时所说的不是“再见”而是别的话，比如，“走什么！还是留下来吧！”或者，“现在到后方去，——卵弹琴！”说不定我会马上改变我的计划，至少那种去留不定的矛盾心情将会一直蛀蚀着我，折磨着我。

这理由很简单，仿佛我们民族渴望神圣的自由一样，对于他那种阔大不羁的精神，他那种不可摧毁的自信的力量，他那种浓郁芬芳的人间的温暖和喜悦，我是太需要太需要了。

我在这里向我们伟大的民族战士献出我至诚的祝福。

一九三九年十月二十五日写完

附录　贺龙将军印象记

中共六中全会开会不久鲁迅艺术学院有过一次名人演讲。时候是下午两点钟，起初在一座简陋的棚架底下举行，四面通风，很可减少秋末西北高原地带午后所必有的闷热；但演讲未及一半，却被一场愈来愈大的雨水赶进那间落成不久，四壁生满青草的教室里去了。

但这个意外对于我是有利的，我从后排座位移到前排，不但更能听准前线战士们英勇奋斗的故事，而且还可端详一下演讲者的风貌：是个高矮适中的中年人，穿着一身整洁的普通军装。看来肉很多，但并不见得肥胖，只是使人感到他的结实。因为面部宽大且又从不隐藏自己的愉快，他的眼睛似乎相当细小；一笑起来眼角上便布满了饱经风霜的皱纹。他的态度是很生动的，但在开阔的嘴唇上却横着一撇浓黑的短须。当它们闭阖着的时候那便表示着一种不可摧毁的信心。

他很会说故事，有他自己的说法，语汇，以及种种帮助故事生动的巧妙的手势。似乎只需把他那农民型的大手随意一挥，你便可以了解一件事情的重要意义。但却又全都那么朴质，那么自然，丝毫没有做作，或者那种像煞有介事的意味。一个真挚的人，既然是述说着他心里想说的人和事，而又衷心地爱着他们，那一切原是会自然流露出来的。对着这样的人你不该有隐瞒，因为他就断不会无缘无故地掩盖起自己。你也无须顾忌，因为纵有苛责，也早被他的厚重和亲切消释尽了。

这演讲的人就是贺龙将军。到现在止我们虽已见过五次，但我还不打算对我的第一印象加以删改，而且相反的，我倒十分信赖我的眼睛。我们最近一次的见面是在十一月十四日早上，是两天前约定的，算是一次正式访问。同去的有荒煤，其芳和我三个人。因为去不成前线，前者几天来心情欠佳，老是低眉皱眼的，这一天忽然开朗起来，瘦脸上有了一点所谓笑容了。贺龙将军的拜访显然是救治了他的忧郁。

我们被接待在一间简单的窑式平房里面，屋子相当大，是主人的卧室；但除掉两张木板床外，临窗的大炕上还架着两个铺位，大约是和他的僚友共同住的。说得上陈设的，只有几张白木条凳，一张同样赤裸的方桌，方桌上的一把磁茶壶和一只茶盅。我们就在这朴质的环境里呆了两个钟头，但走的时候却还觉得十分短促一样。我们更明白一般人喜欢同“贺大哥”接近的理由了。

他是湖南桑植人，共有六姊妹，自己行四，今年四十四岁。家庭是贫农，父亲相当能干，用自己的手养活全家人。因为从父亲学到一点拳术，生性又是很豪爽的，十六岁的时候便以爱打抱不平而出名了。一个和中山先生相识的留日生于是说服他加入了同盟会。他运动过绿营和防军，而最重要的是他曾经用湘西暴动来对抗过袁世凯的帝制。但他结局被人出卖。于是怀着愤怒，到湘边创造他那两把菜刀的故事去了。

他从二十二岁起便没有一天离过叶子烟的，这一天躺在他手里的却是一只精巧的烟斗，但也很少享受，有时刚刚才划燃一支火柴，便又被一个手势，或者一段有趣的谈话打断了。对于我们的询问，他是从不吝惜回答的。我们静静地谛听着，留心着他的手势。而最重要的是分有着他的感情。一种真实谈话是不容人处在静观地位的。

他对于草地似乎很感兴会。并不多想，他便回答我们的问题道：

“草地并不坏，”他做了一个否定的手势，“什么矿产都有，一望几千里的平原，土很肥，麦子人多高，那个草啊！……”

他叹息一般地说了，眼睛半闭，似乎已经看到了那广大无边的平原。接着他又兴高采烈给我们描摹了一番草地里春天的景色，各种颜色的花草都有，“简直像花园一样”。他以为草地的荒凉是满清时代的大汉族主义造成的；而长征时给养困难的原因也就多在这里，因为蛮子总照例规避着汉人的军队。

“想来你们听说过的，”他给我们提出着佐证，“前清赵屠户赵尔丰一杀就好几千，好几寨，因此有句俗语：蛮姑娘好找，汉官的差难当。”

他暂时沉默着，显出一种悲悯的神气，在他谈到日本人把他们的重伤兵抛在火里烧得惨叫的时候他也曾表现过同样的神情。半闭眼睛，右眉向上蹙着，眼睑有点颤动。而眼角的皱纹也更多了。

但整个的说，他对于长征是有着顶愉快的回忆的。尤其是关于战斗方面，因为接受了三个长征经验的缘故，他们克服了许多意想不到的军事上的困难。而那方法便是局部转移和沿途发展群众。

“你们想，”这时他站起来了，双手插在裤袋里面，“我们只有两个军团，而跟我们玩尾巴的却有八十几团人，两个侧面还有……”

他扇了扇那支屈着的手臂来表示包围。

“但我们却沿途扩大自己的力量，”他继续说，“而且达到了目的；这简单得很：因为我们有决心打仗！”

他的声调听来很轻松，从新坐下来了。但却微微改变了原来坐的姿式；两腿微微张开，搭向条凳的两端，脸上显出像是跨上了一匹善走的小马的愉快神气。于是荒煤乘机问道：

“对于敌人，长征的经验八路军是否还有用？”

“不但有用，”他坚定而愉快的回答说，“而且更发挥了！”

据他的解释，这个能够发挥是由于现在有着比从前更加优良的条件。因为那时候是国内战争，可以争取的民众只好局限在一个阶级以内，而目前的范围却扩展到全民族了。便是豪绅地主也可以动员起他们为着一种神圣的信念而奋斗！

为要更加明白他的理解起见，我们提出关于统一战线的问题来了。在回答的时候，他的态度是同样坚决而热烈的，认为这“是我们打赢日本帝国主义唯一的武器”，而且觉得华北做得最好。

“比如在冀中绥远一带，”他从容而诚恳地例举着事实，“抗日的党派是很多的，有国民党，共产党，第三党。”在扳着指头念出五六个党派名称以后，他又继续道：“但大家都互相帮助，共同在抗日旗帜下打仗，丝毫没有戒心！”

“一点磨擦都没有过吗？”我们当中的一个问。

“可以说一点磨擦都没有！”

他满有自信地笑了，于是加添道：

“至少八路军没有过。八路军尊重政权，尊重友军。”

他说得很恳切，停了一会才又平静而当心地举出两三个磨擦的例子。他是不大喜欢空洞的判断的。这些例子没有八路军的分，他们总是站在磨擦之上来作调人，希望大家接近。并且由于统一战线的发展再加上这些调解，所谓磨擦也已早成陈迹了。

“比如就在我讲的那县分上，”这是他的举例之一，“有一次两位负责人各放一个县长去接事，互相冲突起来，打伤十几个人！……”

自然，结局还是八路军调解好的。但他并不骄傲，倒是显出一种惋惜的神气。指责友人的错误在他看来并不是一件乐意的事。不但不乐意，有时就连他的话语也变得低沉而含混了。带着困惑的微笑，似乎他正在伤害着别人一样。

在批评某某作家关于草地描写的时候他的神情就是如此的，但也仅仅说了这样一句：

“他写得不大好……”

因此虽然并不是没有感觉到我们还想继续倾听下去，而且所听的又是已经早被互相谅解代替了的磨擦，但好像有意规避似的，他把我们准备发问的节目单子拿上手了。他浏览着，自言自语道：

“好，谈一谈武汉失守后的感想。”

于是他依旧搁回那张赤裸的方桌上去，用茶杯压好，然后来了一段简洁的开端。说明对于这个问题的意见中共六中全会不久就要公布，他们是曾经有过深刻的讨论的，并且一面已经打电报给全国的最高领袖。

这以后，他用一种决然态度发挥他个人的见解了。

“毫无疑问，”他微阖着嘴唇，向前方投了一个坚定的一瞥，“放弃武汉是很灵醒的，很见机的，在战略上是正确的。敌人想消灭我们的主力，找我们的主力，得到武汉却是空的，连铁钉子都被我们扳去了！”

“我们也这样想，”我插嘴道，“不过有些地方似乎相当骚动。”

“自然。”他微蹙了一下眉头，“一般的讲起来我们是困难的。但我们可以渡过这个难关，可以用乡村去包围城市，使被占领的城市变成死城。我们是能够这样做的！”

他的态度愈来愈激昂了。这是和他闲谈日常生活的亲切活泼恰相反的，在平常谈话中有时他的语调还很幽默。为了帮助给养，在长征期间他曾经提倡过钓鱼。他认为乌江河里的鱼顶好钓，无鳞，一尾有三五斤重，并且还犯不上准备什么合法的钓具。

“随便拿根竿子伸在岩洞边就会钓起来，”他巧妙地做着手势，“因为看都看得见。要是它不吃，你用竿头对准它两夺，就上钩了。……”

说完时他的脸上现出含意很深的幽默的微笑。

然而我们现在谈到的却是震撼人心的大事件，望他活泼幽默是不成的；所以直到解释着上面的论断的根据的时候他才逐渐平静下来，他说到了中国的人口，土地，以及中国在经济上所具有的特质，而这几点却就正是保证我们抗战胜利的重要条件。

末后他又从战局上和敌人的怯懦上来找论证，并且举例道：

“这样的事在晋西北是很多的，敌人一看见老百姓就敬个军礼，”他模仿着日本鬼子的动作，“手这样比起——问有八路军没有么？”

他平静而柔和地笑了。“但老百姓却是不怕八路军的，岂止不怕，并且还用斗笠和草鞋来乔装成八路军的样子，跟着他们在救亡室里学习。而在大多数场合，便是他们的生活也是靠当地八路军的合作社解决的。一块钱普通只买三斤盐，合作社卖六斤。”

这一桩事贺龙将军特别满意，而在阔脸上立刻辉煌着那种善良的家长式的微笑了。他又扳着指头告诉我们所以价廉的理由，说：

“牲口是自己的，赶牲口的是兵，没有脚力钱……”

“你喜欢和农民亲近么？”

我失悔我问得太蠢，但他马上大声回答我道：

“我本人就是农人！”

他半闭眼睛，满脸堆笑的站起来了。

“我本人就是农民，”他又重说一遍，“到了今天我的生活还没有和农民脱离。过路碰见一个赶驴子的我也要谈几句。在前线上，那里一站，老百姓便围拢来了。……”

他不赞成一般人看待农民的偏见。他们并不蠢笨，目前华北许多青年群众领袖便大半是农民出身的。其实在他个人的全部品格中就包含着不少农民的优良成分：朴实，亲切，并且热烈的爱好着劳作。他在生活上还保持着若干农民的习惯，平常准在六点钟起床；而一有空闲便又立刻记起骑马打枪种种体力活动来了。

“别人做的我一定去做，”他那样亲切地述说着自己的生活，“不管做不做得好，总比闲散起有意思些。……”

我本来临时还想到几个问题要和他谈的，但是一个蓝色军服，眉粗眼大的断臂同志，举了一下右手，左面的袖管飘荡着一恍就进来了。而且立刻伛向我们的主人，挨近他坐下，满脸堆笑地攀谈起来。这是找他的第三一个青年干部，而且照例会被他和气地遣开去的，但我们却觉得再坐下去不合适了。

我们告辞了。但在临走的时候，虽然明知道这个比拟是相当轻率的，他并不粗暴，而在两把菜刀之外人又很少知道他那早期的革命经历，因为说的人太多了，我也忍不住想要试探一下他本人的意见，于是问道：

“有人说你是中国的夏伯阳，你觉得怎样？”

并不立刻，他带着相当困惑的微笑答道：

“恐怕也有很多不同的地方……”

我们辞出到街上来了。一个娃儿在拐角的石阶上用木制手榴弹捶着核桃。政治部对角的广场上照例是热闹的，小鬼们嘻嘻地嚷闹着，在玩篮球，其芳也相当忙碌，他一出门便没停过嘴，在论证着贺龙同志和夏伯阳之间的差异，仿佛和我有了什么误会一样。

但我很少理会他。我一直沉在一种愉快的兴奋里，只唯唯否否赞成着他的意见，这时候就是有人打我两下也是不要紧的。而那个埋头不语想去前线去不成的同伴果然这样做了。

他横我一眼，随即从袖管里抽出拳头来，望我背上击了一拳：

“你个舅子倒开心啰！……”

我没有还手，而且我理解这几天他对我不快的全部理由了。因为能够同贺龙将军到前线生活几个月确是一桩值得被人艳羡的最大的愉快。

三联经典文库第二辑简目

《游击战教程》　明凡 / 著

《游击战术纲要》　陶剑青 / 编著

《汪精卫卖国的理论与实践》　钱俊瑞 / 著

《抗战以来》　韬奋 / 著

《陕行纪实》　楚云 / 著

《随军散记》　沙汀 / 著

《被日寇囚系半载记》　王研石 / 著

《倭营历险记》　房沧浪 / 著

《活跃的新西北》　田影 / 编著

《保卫华北的游击战》　刘清扬　陈北鸥等 / 著

《徐州突围》　《徐州突围》编委会 / 编

《沦亡的平津》　长江　小方等 / 著

《淞沪火线上》　胡兰畦等 / 著

《瞻回东战场》　长江　罗平 / 著

《东线的撤退》　胡兰畦等 / 著

《抗战中的西北》　徐盈 / 著

《鲁闽风云》　徐盈等 / 著

《西线生活》　西北战地服务团集体创作

《中国解放区见闻》　［美］福尔曼著 / 朱进译

《全面抗战论》　潘汉年 / 著

《日本的间谍》　范士白自述 / 尊闻译

《日本大陆政策的真面目》　国难资料编辑社 / 编

《民众动员论》　李公朴 / 著

《中国外交史》　钱亦石 / 编著

《太平洋军事地理》　蒋震华 / 著

《世界经济地理讲话》　思慕 / 著

《列强军力论》　［德］马克斯·威纳尔著 / 宾符　仲持　梅益等译

《近代国际关系史》　张铁生 / 著

《太平洋现势手册》　沈志远　石啸冲 / 编著

《近代世界政治史》　钱亦石 / 著

《从战争到和平——一九四五年的世界政治》　乔木 / 著

《战后日本问题》　思慕 / 著

《最近一年间的国际动态（1946.7—1947.6）》　《东北日报》社 / 编

《论政党》　翟放 / 著

《法与宪法》　韩幽桐 / 编著

《中华民国宪法刍议》　罗家衡 / 著

《民主·宪法·人权——作之民》　费孝通 / 著

《宪法论初步》　潘念之 / 著

《对反民主的抗争》　韬奋 / 著

《农村改进的理论与实际》　江恒源 / 著

《上海产业与上海职工》（上下）　　朱邦兴　胡林阁　徐声 / 合编

《陶行知教育论文选辑》　　陶行知著 / 方与严编

《中国通货膨胀论》　　杨培新 / 著

《中国及其未完成的革命》　　H・普拉特著 / 蒋天佐译

《中国的建设问题与人的训练》　　卢作孚 / 著

《论中国特殊性及其他》　　艾思奇 / 著

《中国经济问题讲话》　　钱俊瑞　徐雪寒　王渔邨　姜君辰　骆耕漠 / 合著

《中国经济的道路》　　许涤新 / 著

《中国财政之病态及其批判》　　孙怀仁 / 著

《官僚资本论》　　许涤新 / 著

《五四运动之史的评价》　　陈端志 / 著

《中国通史简编》（上下）　　中国历史研究会　范文澜 / 主编

《论文学的工农兵方向——读〈在延安文艺座谈会上的讲话〉》　雪苇 / 著

《中国近代史（上编　第一分册）》　　武波 / 编著

《文学百题》　　傅东华 / 编

《中国史学之进化》　　周谷城 / 著

《论民族形式问题》　　胡风 / 著

《论批评》　　荃麟等 / 著

《中国史纲》（第一卷上下、第二卷上下）　　翦伯赞 / 著

《近代中国思想学说史》（1–4）　　侯外庐 / 著

《中国政治思想史》（上下）　吕振羽 / 著

《中国哲学史纲要》　向林冰 / 著

《中国政治史讲话》　钱亦石 / 著

《中国社会经济史纲》　王渔邨 / 著

《新财政学大纲》　千家驹 / 著

《太平天国革命运动论文集——金田起义百周年纪念》

华北大学历史研究室 / 编

《理性与自由——文化思想批评论文集》　胡绳 / 著

《战斗者的诗人》　黄药眠 / 著

《国语文法》　曹朴 / 著

《教育哲学》　张栗原 / 著

《妇女问题讲话》　杜君慧 / 著

《婚姻 · 子女 · 继承》　沙千里 / 著

《性教育新论》　布士克　雅各生合著 / 董秋斯译

《狱中杂感》　杜重远 / 著

《七人之狱》　沙千里 / 著

《爱迪生传》　伍况甫 / 译

《歌德自传》（上下）　歌德著 / 思慕译

《尼赫鲁自传》　［印度］尼赫鲁著 / 毕来译

《列宁传》　［苏］凯尔任采夫著 / 企程　朔望译

《罗斯福总统传》　C. Mackenzie 著 / 张尚之译

《托尔斯泰传》（1–3）　［英］阿尔麦 · 莫德著 / 徐迟译

《革命文豪高尔基》　［美］亚历山大 · 康恩著 / 韬奋编译

《鲁迅纪念特辑》　新中国文艺社 / 编

《回忆鲁迅先生》　萧红 / 著

《人民文豪鲁迅》　平心 / 著

《亡友鲁迅印象记》　许寿裳 / 著

《鲁迅思想研究》　何干之 / 著

《鲁迅研究》　夏征农 / 编

《过来的时代：鲁迅论及其他》　雪峰 / 著

《电影戏剧表演术》　洪深 / 著

《日常心理漫谈》　［美］约瑟夫·查斯特罗著 / 曾宝施译

《心理常识漫话》　朱智贤　杨云美 / 著

《读书的方法与经验》　王任叔 / 著

《美国黑人生活纪实》　［美］加德维尔　斯坦倍克著 / 董秋斯译

《初访美国》　费孝通 / 著

《事业与成功》　［美］马尔腾著 / 汪原放译

《萍踪寄语（初集）》　韬奋 / 著

《一生的幸福前途——〈生活周刊〉信箱选集》　生活书店 / 编选

《深刻的印象》　生活周刊社 / 编

《海外的感受》　生活书店编译所 / 编

ISBN 978-7-108-04454-9
9 787108 044549 >
定价：29.00元